E. T. A. HOFFMANN

RAT KRESPEL
DIE FERMATE
DON JUAN

MIT EINEM NACHWORT
VON JOSEF KUNZ

PHILIPP RECLAM JUN. STUTTGART

Der Text folgt: E. T. A. Hoffmanns Werk in fünfzehn Teilen. Herausgegeben von Georg Ellinger. Berlin: Bong, o. J. – Orthographie und Interpunktion wurden dem heutigen Gebrauch angeglichen, die Anmerkungen beigefügt.

Umschlagabbildung nach einem gezeichneten Selbstporträt E. T. A. Hoffmanns.

Universal-Bibliothek Nr. 5274
Alle Rechte vorbehalten. © 1964 Philipp Reclam jun., Stuttgart
Satz: Wenzlaff KG, Kempten
Druck: und Bindung: Reclam, Ditzingen
Printed in Germany 1982
ISBN 3-15-005274-2

RAT KRESPEL

Der Rat Krespel war einer der allerwunderlichsten Menschen, die mir jemals im Leben vorgekommen. Als ich nach H– zog, um mich einige Zeit dort aufzuhalten, sprach die ganze Stadt von ihm, weil soeben einer seiner allernärrischsten Streiche in voller Blüte stand. Krespel war berühmt als gelehrter gewandter Jurist und als tüchtiger Diplomatiker. Ein nicht eben bedeutender regierender Fürst in Deutschland hatte sich an ihn gewandt, um ein Memorial auszuarbeiten, das die Ausführung seiner rechtsbegründeten Ansprüche auf ein gewisses Territorium zum Gegenstand hatte und das er dem Kaiserhofe einzureichen gedachte. Das geschah mit dem glücklichsten Erfolg, und da Krespel einmal geklagt hatte, daß er nie eine Wohnung seiner Bequemlichkeit gemäß finden könne, übernahm der Fürst, um ihn für jenes Memorial zu lohnen, die Kosten eines Hauses, das Krespel ganz nach seinem Gefallen aufbauen lassen sollte. Auch den Platz dazu wollte der Fürst nach Krespels Wahl ankaufen lassen; das nahm Krespel indessen nicht an, vielmehr blieb er dabei, daß das Haus in seinem vor dem Tor in der schönsten Gegend belegenen Garten erbaut werden solle. Nun kaufte er alle nur mögliche Materialien zusammen und ließ sie herausfahren; dann sah man ihn, wie er tagelang in seinem sonderbaren Kleide (das er übrigens selbst angefertigt nach bestimmten eigenen Prinzipien) den Kalk löschte, den Sand siebte, die Mauersteine in regelmäßige Haufen aufsetzte usw. Mit irgendeinem Baumeister hatte er nicht gesprochen, an irgendeinen Riß nicht gedacht. An einem guten Tage ging er indessen zu einem tüchtigen Mauermeister in H– und bat ihn, sich morgen bei Anbruch des Tages mit sämtlichen Gesellen und Burschen, vielen Handlangern usw. in dem Garten einzufinden und sein Haus zu bauen. Der Baumeister fragte natürlicherweise nach dem Bauriß und erstaunte nicht wenig, als Krespel erwiderte, es bedürfe dessen gar nicht, und es werde sich schon alles, wie es sein solle, fügen. Als der Meister anderen Morgens mit seinen Leuten an Ort und Stelle kam, fand er einen im regelmäßigen Viereck gezogenen Graben, und Krespel sprach: „Hier soll das Fundament meines Hauses gelegt werden, und dann bitte ich die vier Mauern so lange heraufzuführen, bis ich sage, nun ist's hoch genug." – „Ohne Fenster und Türen, ohne Quermauern?" fiel der Meister, wie über Krespels Wahnsinn erschrocken, ein. „So wie ich Ihnen es sage, bester Mann", erwiderte Krespel sehr ruhig, „das übrige wird sich alles finden." Nur das Versprechen reicher Belohnung konnte den Meister bewegen, den unsinnigen Bau zu unternehmen; aber nie ist einer lustiger geführt worden, denn unter beständigem Lachen der Arbeiter, die die Arbeitsstätte nie verließen, da es Speis und Trank vollauf gab, stiegen die vier Mauern unglaublich schnell in die Höhe, bis eines Tages Krespel rief: „Halt!" Da schwieg Kell' und Hammer, die Arbeiter stiegen von den Gerüsten herab, und indem sie den Krespel im Kreise umgaben, sprach es aus jedem lachenden Gesicht: „Aber wie nun weiter?" – „Platz!" rief Krespel, lief nach einem Ende des Gartens und schritt dann langsam auf sein Viereck los, dicht an der Mauer schüttelte er unwillig den Kopf, lief nach dem andern Ende des Gartens, schritt wieder auf das Viereck los und machte es wie zuvor. Noch einige Male wiederholte er das Spiel, bis er endlich, mit der spitzen Nase hart an die Mauer anlaufend, laut schrie: „Heran, heran, ihr Leute, schlagt mir die Tür ein, hier schlagt mir eine Tür ein!" – Er gab Länge und Breite genau nach Fuß und Zoll an, und es geschah, wie er geboten. Nun schritt er hinein in das Haus und lächelte wohlgefällig, als der Meister bemerkte, die Mauern hätten gerade die Höhe eines tüchtigen zwei- stöckigen Hauses. Krespel ging in dem innern Raum bedächtig auf und ab, hinter ihm her die Maurer mit Hammer und Hacke, und sowie er rief: „Hier ein Fenster, sechs Fuß hoch, vier Fuß breit! – dort ein Fensterchen, drei Fuß hoch, zwei Fuß breit!" so wurde es flugs eingeschlagen. Gerade während dieser Operation kam ich nach H–, und es war höchst er- götzlich anzusehen, wie Hunderte von Menschen um den Garten herumstanden und allemal laut aufjubel- ten, wenn die Steine herausflogen und wieder ein neues Fenster entstand, da, wo man es gar nicht ver- mutet hatte. Mit dem übrigen Ausbau des Hauses und mit allen Arbeiten, die dazu nötig waren, machte es Krespel auf ebendieselbe Weise, indem sie alles an Ort und Stelle nach seiner augenblicklichen Angabe verfertigen mußten. Die Possierlichkeit des ganzen Unternehmens, die gewonnene Überzeugung, daß alles am Ende sich besser zusammengeschickt als zu erwarten stand, vorzüglich aber Krespels Frei- gebigkeit, die ihm freilich nichts kostete, erhielt aber alle bei guter Laune. So wurden die Schwierigkeiten, die die abenteuerliche Art zu bauen herbeiführen mußte, überwunden, und in kurzer Zeit stand ein völlig eingerichtetes Haus da, welches von der Außen- seite den tollsten Anblick gewährte, da kein Fenster dem andern gleich war usw., dessen innere Einrich- tung aber eine ganz eigene Wohlbehaglichkeit er- regte. Alle, die hineinkamen, versicherten dies, und ich selbst fühlte es, als Krespel nach näherer Bekannt- schaft mich hineinführte. Bis jetzt hatte ich nämlich mit dem seltsamen Manne noch nicht gesprochen, der Bau beschäftigte ihn so sehr, daß er nicht einmal sich bei dem Professor M*** dienstags, wie er sonst pflegte, zum Mittagsessen einfand und ihm, als er ihn besonders eingeladen, sagen ließ, vor dem Einweihungsfeste seines Hauses käme er mit keinem Tritt aus der Tür. Alle Freunde und Bekannte verspitzten sich auf ein großes Mahl, Krespel hatte aber niemanden gebeten als sämtliche Meister, Gesellen, Bursche und Handlanger, die sein Haus erbaut. Er bewirtete sie mit den feinsten Speisen; Maurerbursche fraßen rücksichtslos Rebhuhnpasteten, Tischlerjungen hobelten mit Glück an gebratenen Fasanen, und hungrige Handlanger langten diesmal sich selbst die vortrefflichsten Stücke aus dem Trüffelfrikassee zu. Des Abends kamen die Frauen und Töchter, und es begann ein großer Ball. Krespel walzte etwas weniges mit den Meisterfrauen, setzte sich aber dann zu den Stadtmusikanten, nahm eine Geige und dirigierte die Tanzmusik bis zum hellen Morgen. Den Dienstag nach diesem Feste, welches den Rat Krespel als Volksfreund darstellte, fand ich ihn endlich zu meiner nicht geringen Freude bei dem Professor M***. Verwunderlicheres als Krespels Betragen kann man nicht erfinden. Steif und ungelenk in der Bewegung, glaubte man jeden Augenblick, er würde irgendwo anstoßen, irgendeinen Schaden anrichten, das geschah aber nicht, und man wußte es schon, denn die Hausfrau erblaßte nicht im mindesten, als er mit gewaltigem Schritt um den mit den schönsten Tassen besetzten Tisch sich herumschwang, als er gegen den bis zum Boden reichenden Spiegel manövrierte, als er selbst einen Blumentopf von herrlich gemaltem Porzellan ergriff und in der Luft herumschwenkte, als ob er die Farben spielen lassen wolle. Überhaupt besah Krespel vor Tische alles in des Professors Zimmer auf das genaueste, er langte sich auch wohl, auf den gepolsterten Stuhl steigend, ein Bild von der Wand herab und hing es wieder auf. Dabei sprach er viel und heftig; bald (bei Tische wurde es auffallend) sprang er schnell von einer Sache auf die andere, bald konnte er von einer Idee gar nicht loskommen; immer sie wieder ergreifend, geriet er in allerlei wunderliche Irrgänge und konnte sich nicht wiederfinden, bis ihn etwas anderes erfaßte. Sein Ton war bald rauh und heftig schreiend, bald leise gedehnt, singend, aber immer paßte er nicht zu dem, was Krespel sprach. Es war von Musik die Rede, man rühmte einen neuen Komponisten, da lächelte Krespel und sprach mit seiner leisen singenden Stimme: „Wollt' ich doch, daß der schwarzgefiederte Satan den verruchten Tonverdreher zehntausend Millionen Klafter tief in den Abgrund der Hölle schlüge!" – Dann fuhr er heftig und wild heraus: „Sie ist ein Engel des Himmels, nichts als reiner, Gott geweihter Klang und Ton! – Licht und Sternbild alles Gesanges!" – Und dabei standen ihm Tränen in den Augen. Man mußte sich erinnern, daß vor einer Stunde von einer berühmten Sängerin gesprochen worden. Es wurde ein Hasenbraten verzehrt, ich bemerkte, daß Krespel die Knochen auf seinem Teller vom Fleische sorglich säuberte und genaue Nachfrage nach den Hasenpfoten hielt, die ihm des Professors fünfjähriges Mädchen mit sehr freundlichem Lächeln brachte. Die Kinder hatten überhaupt den Rat schon während des Essens sehr freundlich angeblickt, jetzt standen sie auf und nahten sich ihm, jedoch in scheuer Ehrfurcht und nur auf drei Schritte. ‚Was soll denn das werden', dachte ich im Innern. Das Dessert wurde aufgetragen; da zog der Rat ein Kistchen aus der Tasche, in dem eine kleine stählerne Drehbank lag, die schrob er sofort an den Tisch fest, und nun drechselte er mit unglaublicher Geschicklichkeit und Schnelligkeit aus den Hasenknochen allerlei winzig kleine Döschen und Büchschen und Kügelchen, die die Kinder jubelnd empfingen. Im Moment des Aufstehens von der Tafel fragte des Professors Nichte: „Was macht denn unsere Antonie, lieber Rat?" – Krespel schnitt ein Gesicht, als wenn jemand in eine bittere Pomeranze beißt und dabei aussehen will, als wenn er Süßes genossen; aber bald verzog sich dies Gesicht zur graulichen Maske, aus der recht bitterer, grimmiger, ja, wie es mir schien, recht teuflischer Hohn herauslachte. „Unsere? Unsere liebe Antonie?" frug er mit gedehntem, unangenehm singenden Tone. Der Professor kam schnell heran; in dem strafenden Blick, den er der Nichte zuwarf, las ich, daß sie eine Saite berührt hatte, die in Krespels Innerm widrig dissonieren mußte. „Wie steht es mit den Violinen?" frug der Professor recht lustig, indem er den Rat bei beiden Händen erfaßte. Da heiterte sich Krespels Gesicht auf, und er erwiderte mit seiner starken Stimme: „Vortrefflich, Professor, erst heute hab ich die treffliche Geige von Amati, von der ich neulich erzählte, welch ein Glücksfall sie mir in die Hände gespielt, erst heute habe ich sie aufgeschnitten. Ich hoffe, Antonie wird das übrige sorgfältig zerlegt haben." „Antonie ist ein gutes Kind", sprach der Professor. „Ja wahrhaftig, das ist sie!" schrie der Rat, indem er sich schnell umwandte und, mit einem Griff Hut und Stock erfassend, schnell zur Türe hinaussprang. Im Spiegel erblickte ich, daß ihm helle Tränen in den Augen standen.

Sobald der Rat fort war, drang ich in den Professor, mir doch nur gleich zu sagen, was es mit den Violinen und vorzüglich mit Antonien für eine Bewandtnis habe. „Ach", sprach der Professor, „wie denn der Rat überhaupt ein ganz wunderlicher Mensch ist, so treibt er auch das Violinbauen auf ganz eigne tolle Weise." „Violinbauen?" fragte ich ganz erstaunt. „Ja", fuhr der Professor fort, „Krespel verfertigt nach dem Urteil der Kenner die herrlichsten Violinen, die man in neuerer Zeit nur finden kann; sonst ließ er manchmal, war ihm eine besonders gelungen, andere darauf spielen, das ist aber seit einiger Zeit ganz vorbei. Hat Krespel eine Violine gemacht, so spielt er selbst eine oder zwei Stunden darauf, und zwar mit höchster Kraft, mit hinreißendem Ausdruck, dann hängt er sie aber zu den übrigen, ohne sie jemals wieder zu berühren oder von andern berühren zu lassen. Ist nur irgendeine Violine von einem alten vorzüglichen Meister aufzutreiben, so kauft sie der Rat um jeden Preis, den man ihm stellt. Ebenso wie seine Geigen, spielt er sie aber nur ein einziges Mal, dann nimmt er sie auseinander, um ihre innere Struktur genau zu untersuchen, und wirft, findet er nach seiner Einbildung nicht das, was er gerade suchte, die Stücke unmutig in einen großen Kasten, der schon voll Trümmer zerlegter Violinen ist." "Wie ist es aber mit Antonien?" frug ich schnell und heftig. "Das ist nun", fuhr der Professor fort, "das ist nun eine Sache, die den Rat mich könnte in höchstem Grade verabscheuen lassen, wenn ich nicht überzeugt wäre, daß bei dem im tiefsten Grunde bis zur Weichlichkeit gutmütigen Charakter des Rates es damit eine besondere geheime Bewandtnis haben müsse. Als vor mehreren Jahren der Rat hierher nach H– kam, lebte er anachoretisch mit einer alten Haushälterin in einem finstern Hause auf der –Straße. Bald erregte er durch seine Sonderbarkeiten die Neugierde der Nachbarn, und sogleich, als er dies merkte, suchte und fand er Bekanntschaften. Eben wie in meinem Hause gewöhnte man sich überall so an ihn, daß er unentbehrlich wurde. Seines rauhen Äußeren unerachtet, liebten ihn sogar die Kinder, ohne ihn zu belästigen, denn trotz aller Freundlichkeit behielten sie eine gewisse scheue Ehrfurcht, die ihn vor allem Zudringlichen schützte. Wie er die Kinder durch allerlei Künste zu gewinnen weiß, haben Sie heute gesehen. Wir hielten ihn alle für einen Hagestolz, und er widersprach dem nicht. Nachdem er sich einige Zeit hier aufgehalten, reiste er ab, niemand wußte wohin, und kam nach einigen Monaten wieder. Den andern Abend nach seiner

Rückkehr waren Krespels Fenster ungewöhnlich erleuchtet, schon dies machte die Nachbarn aufmerksam, bald vernahm man aber die ganz wunderherrliche Stimme eines Frauenzimmers, von einem Pianoforte begleitet. Dann wachten die Töne einer Violine auf und stritten in regem feurigen Kampfe mit der Stimme. Man hörte gleich, daß es der Rat war, der spielte. – Ich selbst mischte mich unter die zahlreiche Menge, die das wundervolle Konzert vor dem Hause des Rates versammelt hatte, und ich muß Ihnen gestehen, daß gegen die Stimme, gegen den ganz eigenen, tief in das Innerste dringenden Vortrag der Unbekannten mir der Gesang der berühmtesten Sängerinnen, die ich gehört, matt und ausdruckslos schien. Nie hatte ich eine Ahnung von diesen lang ausgehaltenen Tönen, von diesen Nachtigallwirbeln, von diesem Auf- und Abwogen, von diesem Steigen bis zur Stärke des Orgellautes, von diesem Sinken bis zum leisesten Hauch. Nicht einer war, den der süßeste Zauber nicht umfing, und nur leise Seufzer gingen in der tiefen Stille auf, wenn die Sängerin schwieg. Es mochte schon Mitternacht sein, als man den Rat sehr heftig reden hörte, eine andere männliche Stimme schien, nach dem Tone zu urteilen, ihm Vorwürfe zu machen, dazwischen klagte ein Mädchen in abgebrochenen Reden. Heftiger und heftiger schrie der Rat, bis er endlich in jenen singenden Ton fiel, den Sie kennen. Ein lauter Schrei des Mädchens unterbrach ihn, dann wurde es totenstille, bis plötzlich es die Treppe herabpolterte und ein junger Mensch schluchzend hinausstürzte, der sich in eine nahe stehende Postchaise warf und rasch davonfuhr. Tags darauf erschien der Rat sehr heiter, und niemand hatte den Mut, ihn nach der Begebenheit der vorigen Nacht zu fragen. Die Haushälterin sagte aber auf Befragen, daß der Rat ein bildhübsches, blutjunges Mädchen mitgebracht, die er Antonie nenne und die eben so schön gesungen. Auch sei ein junger Mann mitgekommen, der sehr zärtlich mit Antonien getan und wohl ihr Bräutigam sein müsse. Der habe aber, weil es der Rat durchaus gewollt, schnell abreisen müssen. – In welchem Verhältnis Antonie mit dem Rat stehet, ist bis jetzt ein Geheimnis, aber so viel ist gewiß, daß er das arme Mädchen auf die gehässigste Weise tyrannisiert. Er bewacht sie wie der Doktor Bartolo im ‚Barbier von Sevilien‘ seine Mündel; kaum darf sie sich am Fenster blicken lassen. Führt er sie auf inständiges Bitten einmal in Gesellschaft, so verfolgt er sie mit Argusblicken und leidet durchaus nicht, daß sich irgendein musikalischer Ton hören lasse, viel weniger daß Antonie singe, die übrigens auch in seinem Hause nicht mehr singen darf. Antoniens Gesang in jener Nacht ist daher unter dem Publikum der Stadt zu einer Phantasie und Gemüt aufregenden Sage von einem herrlichen Wunder geworden, und selbst die, welche sie gar nicht hörten, sprechen oft, versucht sich eine Sängerin hier am Orte:, Was ist denn das für ein gemeines Quinkelieren? – Nur Antonie vermag zu singen.‘ “ –

Ihr wißt, daß ich auf solche phantastische Dinge ganz versessen bin, und könnt wohl denken, wie notwendig ich es fand, Antoniens Bekanntschaft zu machen. Jene Äußerungen des Publikums über Antoniens Gesang hatte ich selbst schon öfters vernommen, aber ich ahnte nicht, daß die Herrliche am Orte sei und in den Banden des wahnsinnigen Krespels wie eines tyrannischen Zauberers liege. Natürlicherweise hörte ich auch sogleich in der folgenden Nacht Antoniens wunderbaren Gesang, und da sie mich in einem herrlichen Adagio (lächerlicherweise kam es mir vor, als hätte ich es selbst komponiert) auf das rührendste beschwor, sie zu retten, so war ich bald entschlossen, ein zweiter Astolfo[1] in Krespels Haus wie

1. Astolf ist ein englischer Prinz in Ariosts Epos „Orlando furioso“ („Der rasende Roland“).

in Alzinens Zauberburg einzudringen und die Königin des Gesanges aus schmachvollen Banden zu be-
freien.

Es kam alles anders, wie ich es mir gedacht hatte;
denn kaum hatte ich den Rat zwei- bis dreimal gesehen und mit ihm eifrig über die beste Struktur der
Geigen gesprochen, als er mich selbst einlud, ihn in
seinem Hause zu besuchen. Ich tat es, und er zeigte
mir den Reichtum seiner Violinen. Es hingen deren
wohl dreißig in einem Kabinett, unter ihnen zeichnete
sich eine durch alle Spuren der hohen Altertümlichkeit
(geschnitzten Löwenkopf usw.) aus, und sie schien,
höher gehängt und mit einer darüber angebrachten
Blumenkrone, als Königin den andern zu gebieten.
„Diese Violine", sprach Krespel, nachdem ich ihn
darum befragt, „diese Violine ist ein sehr merk-
würdiges, wunderbares Stück eines unbekannten Meisters, wahrscheinlich aus Tartinis[2] Zeiten. Ganz überzeugt bin ich, daß in der innern Struktur etwas
Besonderes liegt und daß, wenn ich sie zerlegte, sich
mir ein Geheimnis erschließen würde, dem ich längst
nachspürte, aber – lachen Sie mich nur aus, wenn Sie
wollen – dies tote Ding, dem ich selbst doch nur erst
Leben und Laut gebe, spricht oft aus sich selbst zu mir
auf wunderliche Weise, und es war mir, da ich zum
ersten Male darauf spielte, als wär' ich nur der Mag-
netiseur, der die Somnambule zu erregen vermag,
daß sie selbsttätig ihre innere Anschauung in Worten
verkündet. – Glauben Sie ja nicht, daß ich geckhaft
genug bin, von solchen Phantastereien auch nur das
mindeste zu halten, aber eigen ist es doch, daß ich es
nie über mich erhielt, jenes dumme tote Ding dort auf-
zuschneiden. Lieb ist es mir jetzt, daß ich es nicht
getan, denn seitdem Antonie hier ist, spiele ich ihr zuweilen etwas auf dieser Geige vor. – Antonie hört es

2. Giuseppe Tartini (1692–1770), der berühmte Violinvirtuose.

gern – gar gern." Die Worte sprach der Rat mit sichtlicher Rührung, das ermutigte mich zu den Worten: „O mein bester Herr Rat, wollten Sie das nicht in meiner Gegenwart tun?" Krespel schnitt aber sein süßsaures Gesicht und sprach mit gedehntem singenden Ton: „Nein, mein bester Herr Studiosus!" Damit war die Sache abgetan. Nun mußte ich noch mit ihm allerlei, zum Teil kindische Raritäten besehen; endlich griff er in ein Kistchen und holte ein zusammengelegtes Papier heraus, das er mir in die Hand drückte, sehr feierlich sprechend: „Sie sind ein Freund der Kunst, nehmen Sie dies Geschenk als ein teures Andenken, das Ihnen ewig über alles wert bleiben muß." Dabei schob er mich bei beiden Schultern sehr sanft nach der Tür zu und umarmte mich an der Schwelle. Eigentlich wurde ich doch von ihm auf symbolische Weise zur Tür hinausgeworfen. Als ich das Papierchen aufmachte, fand ich ein ungefähr ein Achtelzoll langes Stückchen einer Quinte[3] und dabei geschrieben: „Von der Quinte, womit der selige Stamitz seine Geige bezogen hatte, als er sein letztes Konzert spielte." – Die schnöde Abfertigung, als ich Antoniens erwähnte, schien mir zu beweisen, daß ich sie wohl nie zu sehen bekommen würde; dem war aber nicht so, denn als ich den Rat zum zweiten Male besuchte, fand ich Antonien in seinem Zimmer, ihm helfend bei dem Zusammensetzen einer Geige. Antoniens Äußeres machte auf den ersten Anblick keinen starken Eindruck, aber bald konnte man nicht loskommen von dem blauen Auge und den holden Rosenlippen der ungemein zarten lieblichen Gestalt. Sie war sehr blaß, aber wurde etwas Geistreiches und Heiteres gesagt, so flog in süßem Lächeln ein feuriges Inkarnat über die Wangen hin, das jedoch bald im rötlichen Schimmer erblaßte. Ganz unbefangen sprach ich mit An-

3. „Quinte" bedeutet hier die E-Saite der Violine.

tonien und bemerkte durchaus nichts von den Argusblicken Krespels, wie sie der Professor ihm angedichtet hatte, vielmehr blieb er ganz in gewöhnlichem Geleise, ja, er schien sogar meiner Unterhaltung mit Antonien Beifall zu geben. So geschah es, daß ich öfter den Rat besuchte und wechselseitiges Aneinandergewöhnen dem kleinen Kreise von uns dreien eine wunderbare Wohlbehaglichkeit gab, die uns bis ins Innerste hinein erfreute. Der Rat blieb mit seinen höchst seltsamen Skurrilitäten mir höchst ergötzlich; aber doch war es wohl nur Antonie, die mit unwiderstehlichem Zauber mich hinzog und mich manches ertragen ließ, dem ich sonst, ungeduldig, wie ich damals war, entronnen. In das Eigentümliche, Seltsame des Rates mischte sich nämlich gar zu oft Abgeschmacktes und Langweiliges, vorzüglich zuwider war es mir aber, daß er, sobald ich das Gespräch auf Musik, insbesondere auf Gesang lenkte, mit seinem diabolisch lächelnden Gesicht und seinem widrig singenden Tone einfiel, etwas Heterogenes, mehrenteils Gemeines, auf die Bahn bringend. An der tiefen Betrübnis, die dann aus Antoniens Blicken sprach, merkte ich wohl, daß es nur geschah, um irgendeine Aufforderung zum Gesange mir abzuschneiden. Ich ließ nicht nach. Mit den Hindernissen, die mir der Rat entgegenstellte, wuchs mein Mut, sie zu übersteigen, ich mußte Antoniens Gesang hören, um nicht in Träumen und Ahnungen dieses Gesanges zu verschwimmen. Eines Abends war Krespel bei besonders guter Laune; er hatte eine alte Cremoneser Geige zerlegt und gefunden, daß der Stimmstock um eine halbe Linie schräger als sonst gestellt war. Wichtige, die Praxis bereichernde Erfahrung! – Es gelang mir, ihn über die wahre Art des Violinenspielens in Feuer zu setzen. Der großen wahrhaftigen Sängern abgehorchte Vortrag der alten Meister, von dem Krespel sprach, führte von selbst die Bemerkung herbei, daß jetzt gerade umgekehrt der

Gesang sich nach den erkünstelten Sprüngen und Läufen der Instrumentalisten verbilde. „Was ist unsinniger", rief ich, vom Stuhle aufspringend, hin zum Pianoforte laufend und es schnell öffnend, „was ist unsinniger als solche vertrackte Manieren, welche, statt Musik zu sein, dem Tone über den Boden hingeschütteter Erbsen gleichen." Ich sang manche der modernen Fermaten, die hin und her laufen und schnurren wie ein tüchtig losgeschnürter Kreisel, einzelne schlechte Akkorde dazu anschlagend. Übermäßig lachte Krespel und schrie: „Haha! mich dünkt, ich höre unsere deutschen Italiener oder unsere italienischen Deutschen, wie sie sich in einer Arie von Pucitta[4] oder Portogallo[5] oder sonst einem Maestro di Capella[6] oder vielmehr Schiavo d'un primo uomo[7] übernehmen." – „Nun", dachte ich, „ist der Zeitpunkt da." „Nicht wahr", wandte ich mich zu Antonien, „nicht wahr, von dieser Singerei weiß Antonie nichts?" und zugleich intonierte ich ein herrliches seelenvolles Lied vom alten Leonardo Leo[8]. Da glühten Antoniens Wangen, Himmelsglanz blitzte aus den neubeseelten Augen, sie sprang an das Pianoforte – sie öffnete die Lippen – Aber in demselben Augenblick drängte sie Krespel fort, ergriff mich bei den Schultern und schrie im kreischenden Tenor – „Söhnchen – Söhnchen – Söhnchen." – Und gleich fuhr er fort, sehr leise singend und in höflich gebeugter Stellung meine Hand ergreifend: „In der Tat, mein höchst verehrungswürdiger Herr Studiosus, in der

4. Vincenco Pucitta (1778–1861), Opernkomponist.

5. Marc Antonio Portogallo (1762–1830), von Geburt Portugiese.

6. Kapellmeister.

7. Sklaven eines Primo Uomo. Der Primo Uomo (erste Mann) war im Gegensatz zur Primadonna (ersten Frau) der erste Kastrat der Oper.

8. Leonardo Leo (1634–1744), bedeutender Meister der neapolitanischen Schule.

Tat, gegen alle Lebensart, gegen alle guten Sitten würde es anstoßen, wenn ich laut und lebhaft den Wunsch äußerte, daß Ihnen hier auf der Stelle gleich der höllische Satan mit glühenden Krallenfäusten sanft das Genick abstieße und Sie auf die Weise gewissermaßen kurz expedierte; aber davon abgesehen, müssen Sie eingestehen, Liebwertester, daß es bedeutend dunkelt, und da heute keine Laterne brennt, könnten Sie, würfe ich Sie auch gerade nicht die Treppe herab, doch Schaden leiden an Ihren lieben Gebeinen. Gehen Sie fein zu Hause und erinnern Sie sich freundschaftlichst Ihres wahren Freundes, wenn Sie ihn etwa nie mehr – verstehen Sie wohl? – nie mehr zu Hause antreffen sollten!" – Damit umarmte er mich und drehte sich, mich festhaltend, langsam mit mir zur Türe heraus, so daß ich Antonien mit keinem Blick mehr anschauen konnte. – Ihr gesteht, daß es in meiner Lage nicht möglich war, den Rat zu prügeln, welches doch eigentlich hätte geschehen müssen. Der Professor lachte mich sehr aus und versicherte, daß ich es nun mit dem Rat auf immer verdorben hätte. Den schmachtenden, ans Fenster heraufblickenden Amoroso, den verliebten Abenteurer zu machen, dazu war Antonie mir zu wert, ich möchte sagen, zu heilig. Im Innersten zerrissen, verließ ich H–, aber wie es zu gehen pflegt, die grellen Farben des Phantasiegebildes verblaßten, und Antonie – ja selbst Antoniens Gesang, den ich nie gehört, leuchtete oft in mein tiefstes Gemüt hinein, wie ein sanfter, tröstender Rosenschimmer.

Nach zwei Jahren war ich schon in B** angestellt, als ich eine Reise nach dem südlichen Deutschland unternahm. Im duftigen Abendrot erhoben sich die Türme von H–; sowie ich näher und näher kam, ergriff mich ein unbeschreibliches Gefühl der peinlichsten Angst; wie eine schwere Last hatte es sich über meine Brust gelegt, ich konnte nicht atmen; ich mußte heraus aus dem Wagen ins Freie. Aber bis zum

physischen Schmerz steigerte sich meine Beklemmung.
Mir war es bald, als hörte ich die Akkorde eines feier-
lichen Chorals durch die Lüfte schweben – die Töne
wurden deutlicher, ich unterschied Männerstimmen,
die einen geistlichen Choral absangen. – „Was ist
das? was ist das?" rief ich, indem es wie ein glühender Dolch durch meine Brust fuhr! – „Sehen Sie denn
nicht", erwiderte der neben mir fahrende Postillon,
„sehen Sie es denn nicht? da drüben auf dem Kirchhof begraben sie einen!" In der Tat befanden wir uns
in der Nähe des Kirchhofes, und ich sah einen Kreis
schwarzgekleideter Menschen um ein Grab stehen, das
man zuzuschütten im Begriff stand. Die Tränen
stürzten mir aus den Augen, es war, als begrübe man
dort alle Lust, alle Freude des Lebens. Rasch vorwärts von dem Hügel herabgeschritten, konnte ich
nicht mehr in den Kirchhof hineinsehen, der Choral
schwieg, und ich bemerkte unfern des Tores schwarz-
gekleidete Menschen, die von dem Begräbnis zurück-
kamen. Der Professor mit seiner Nichte am Arm,
beide in tiefer Trauer, schritten dicht bei mir vorüber,
ohne mich zu bemerken. Die Nichte hatte das Tuch vor
die Augen gedrückt und schluchzte heftig. Es war mir
unmöglich, in die Stadt hineinzugehen, ich schickte
meinen Bedienten mit dem Wagen nach dem gewohn-
ten Gasthofe und lief in die mir wohlbekannte
Gegend heraus, um so eine Stimmung loszuwerden,
die vielleicht nur physische Ursachen, Erhitzung auf
der Reise usw. haben konnte. Als ich in die Allee kam,
welche nach einem Lustorte führt, ging vor mir das
sonderbarste Schauspiel auf. Rat Krespel wurde
von zwei Trauermännern geführt, denen er durch allerlei
seltsame Sprünge entrinnen zu wollen schien. Er war,
wie gewöhnlich, in seinen wunderlichen grauen, selbst
zugeschnittenen Rock gekleidet, nur hing von dem
kleinen dreieckigen Hütchen, das er martialisch auf
ein Ohr gedrückt, ein sehr langer schmaler Trauerflor

herab, der in der Luft hin und her flatterte. Um den Leib hatte er ein schwarzes Degengehenk geschnallt, doch statt des Degens einen langen Violinbogen hineingesteckt. Eiskalt fuhr es mir durch die Glieder; „der ist wahnsinnig", dacht' ich, indem ich langsam folgte. Die Männer führten den Rat bis an sein Haus, da umarmte er sie mit lautem Lachen. Sie verließen ihn, und nun fiel sein Blick auf mich, der dicht neben ihm stand. Er sah mich lange starr an, dann rief er dumpf: „Willkommen, Herr Studiosus! – Sie verstehen es ja auch" – damit packte er mich beim Arm und riß mich fort in das Haus – die Treppe herauf in das Zimmer hinein, wo die Violinen hingen. Alle waren mit schwarzem Flor umhüllt; die Violine des alten Meisters fehlte, an ihrem Platze hing ein Zypressenkranz. – Ich wußte, was geschehen – „Antonie! ach Antonie!" schrie ich auf in trostlosem Jammer. Der Rat stand wie erstarrt mit übereinandergeschlagenen Armen neben mir. Ich zeigte nach dem Zypressenkranz. „Als sie starb", sprach der Rat sehr dumpf und feierlich, „als sie starb, zerbrach mit dröhnendem Krachen der Stimmstock in jener Geige, und der Resonanzboden riß sich auseinander. Die Getreue konnte nur mit ihr, in ihr leben; sie liegt bei ihr im Sarge, sie ist mit ihr begraben worden." – Tief erschüttert sank ich in einen Stuhl, aber der Rat fing an, mit rauhem Ton ein lustig Lied zu singen, und es war recht graulich anzusehen, wie er auf einem Fuße dazu herumsprang, und der Flor (er hatte den Hut auf dem Kopfe) im Zimmer und an den aufgehängten Violinen herumstrich; ja, ich konnte mich eines überlauten Schreies nicht erwehren, als der Flor bei einer raschen Wendung des Rates über mich herfuhr; es war mir, als wollte er mich verhüllt herabziehen in den schwarzen entsetzlichen Abgrund des Wahnsinns. Da stand der Rat plötzlich stille und sprach in seinem singenden Ton: „Söhnchen? – Söhnchen? – warum schreist du so? hast du den Totenengel geschaut? – das geht allemal der Zeremonie vorher!" – Nun trat er in die Mitte des Zimmers, riß den Violinbogen aus dem Gehenke, hielt ihn mit beiden Händen über den Kopf und zerbrach ihn, daß er in viele Stücke zersplitterte. Laut lachend rief Krespel: „Nun ist der Stab über mich gebrochen, meinst du, Söhnchen? nicht wahr? Mitnichten, mitnichten, nun bin ich frei – frei – frei – Heisa frei! – Nun bau ich keine Geigen mehr – keine Geigen mehr – heisa keine Geigen mehr." – Das sang der Rat nach einer schauerlich lustigen Melodie, indem er wieder auf einem Fuße herumsprang. Voll Grauen wollte ich schnell zur Türe heraus, aber der Rat hielt mich fest, indem er sehr gelassen sprach: „Bleiben Sie, Herr Studiosus, halten Sie diese Ausbrüche des Schmerzes, der mich mit Todesmartern zerreißt, nicht für Wahnsinn, aber es geschieht nur alles deshalb, weil ich mir vor einiger Zeit einen Schlafrock anfertigte, in dem ich aussehen wollte wie das Schicksal oder wie Gott!" – Der Rat schwatzte tolles grauliches Zeug durcheinander, bis er ganz erschöpft zusammensank; auf mein Rufen kam die alte Haushälterin herbei, und ich war froh, als ich mich nur wieder im Freien befand. – Nicht einen Augenblick zweifelte ich daran, daß Krespel wahnsinnig geworden, der Professor behauptete jedoch das Gegenteil. „Es gibt Menschen", sprach er, „denen die Natur oder ein besonderes Verhängnis die Decke wegzog, unter der wir andern unser tolles Wesen unbemerkter treiben. Sie gleichen dünngehäuteten Insekten, die im regen, sichtbaren Muskelspiel mißgestaltet erscheinen, ungeachtet sich alles bald wieder in die gehörige Form fügt. Was bei uns Gedanke bleibt, wird dem Krespel alles zur Tat. – Den bittern Hohn, wie der in das irdische Tun und Treiben eingeschachtete Geist ihn wohl oft bei der Hand hat, führt Krespel aus in tollen Gebärden und geschickten Hasensprüngen. Das ist aber sein Blitzableiter. Was aus der Erde steigt, gibt er wieder der Erde, aber das Göttliche weiß er zu bewahren; und so steht es mit seinem innern Bewußtsein recht gut, glaub ich, unerachtet der scheinbaren, nach außen herausspringenden Tollheit. Antoniens plötzlicher Tod mag freilich schwer auf ihn lasten, aber ich wette, daß der Rat schon morgenden Tages seinen Eselstritt im gewöhnlichen Geleise weiter forttrabt." – Beinahe geschah es so, wie der Professor es vorausgesagt. Der Rat schien andern Tages ganz der vorige, nur erklärte er, daß er niemals mehr Violinen bauen und auch auf keiner jemals mehr spielen wolle. Das hat er, wie ich später erfuhr, gehalten.

Des Professors Andeutungen bestärkten meine innere Überzeugung, daß das nähere, so sorgfältig verschwiegene Verhältnis Antoniens zum Rat, ja daß selbst ihr Tod eine schwer auf ihn lastende, nicht abzubüßende Schuld sein könne. Nicht wollte ich H- verlassen, ohne ihm das Verbrechen, welches ich ahnete, vorzuhalten; ich wollte ihn bis ins Innerste hinein erschüttern und so das offene Geständnis der gräßlichen Tat erzwingen. Je mehr ich der Sache nachdachte, desto klarer wurde es mir, daß Krespel ein Bösewicht sein müsse, und desto feuriger, eindringlicher wurde die Rede, die sich wie von selbst zu einem wahren rhetorischen Meisterstück formte. So gerüstet und ganz erhitzt, lief ich zu dem Rat. Ich fand ihn, wie er mit sehr ruhiger lächelnder Miene Spielsachen drechselte. "Wie kann nur", fuhr ich auf ihn los, "wie kann nur auf einen Augenblick Frieden in Ihre Seele kommen, da der Gedanke an die gräßliche Tat Sie mit Schlangenbissen peinigen muß?" – Der Rat sah mich verwundert an, den Meißel beiseite legend. "Wieso, mein Bester?" fragte er – "setzen Sie sich doch gefälligst auf jenen Stuhl!" – Aber eifrig fuhr ich fort, indem ich, mich selbst immer mehr erhitzend, ihn geradezu anklagte, Antonien ermordet zu haben, und ihm mit der Rache der ewigen Macht drohte. Ja, als nicht längst eingeweihte Justizperson, erfüllt von meinem Beruf, ging ich so weit, ihn zu versichern, daß ich alles anwenden würde, der Sache auf die Spur zu kommen und so ihn dem weltlichen Richter schon hienieden in die Hände zu liefern. – Ich wurde in der Tat etwas verlegen, da nach dem Schlusse meiner gewaltigen pomphaften Rede der Rat, ohne ein Wort zu erwidern, mich sehr ruhig anblickte, als erwarte er, ich müsse noch weiter fortfahren. Das versuchte ich auch in der Tat, aber es kam nun alles so schief, ja, so albern heraus, daß ich gleich wieder schwieg. Krespel weidete sich an meiner Verlegenheit, ein boshaftes ironisches Lächeln flog über sein Gesicht. Dann wurde er aber sehr ernst, und sprach mit feierlichem Tone: „Junger Mensch! du magst mich für närrisch, für wahnsinnig halten, das verzeihe ich dir, da wir beide in demselben Irrenhause eingesperrt sind und du mich darüber, daß ich Gott der Vater zu sein wähne, nur deshalb schiltst, weil du dich für Gott den Sohn hältst; wie magst du dich aber unterfangen, in ein Leben eindringen zu wollen, seine geheimsten Fäden erfassend, das dir fremd blieb und bleiben mußte? – Sie ist dahin und das Geheimnis gelöst!" – Krespel hielt inne, stand auf und schritt die Stube einige Male auf und ab. Ich wagte die Bitte um Aufklärung; er sah mich starr an, faßte mich bei der Hand und führte mich an das Fenster, beide Flügel öffnend. Mit aufgestützten Armen legte er sich hinaus, und so in den Garten herabblickend, erzählte er mir die Geschichte seines Lebens. – Als er geendet, verließ ich ihn gerührt und beschämt.

Mit Antonien verhielt es sich kürzlich in folgender Art. – Vor zwanzig Jahren trieb die bis zur Leidenschaft gesteigerte Liebhaberei, die besten Geigen alter Meister aufzusuchen und zu kaufen, den Rat nach Italien. Selbst baute er damals noch keine und unterließ daher auch das Zerlegen jener alten Geigen. In Venedig hörte er die berühmte Sängerin Angela –i, welche damals auf dem Teatro di S. Benedetto in den ersten Rollen glänzte. Sein Enthusiasmus galt nicht der Kunst allein, die Signora Angela freilich auf die herrlichste Weise übte, sondern auch wohl ihrer Engelsschönheit. Der Rat suchte Angelas Bekanntschaft, und trotz aller seiner Schroffheit gelang es ihm, vorzüglich durch sein keckes und dabei höchst ausdrucksvolles Violinspiel sie ganz für sich zu gewinnen. – Das engste Verhältnis führte in wenigen Wochen zur Heirat, die deshalb verborgen blieb, weil Angela sich weder vom Theater noch von dem Namen, der die berühmte Sängerin bezeichnete, trennen oder ihm auch nur das übeltönende ‚Krespel‘ hinzufügen wollte. – Mit der tollsten Ironie beschrieb Krespel die ganz eigene Art, wie Signora Angela, sobald sie seine Frau worden, ihn marterte und quälte. Aller Eigensinn, alles launische Wesen sämtlicher erster Sängerinnen sei, wie Krespel meinte, in Angelas kleine Figur hineingebannt worden. Wollte er sich einmal in Positur setzen, so schickte ihm Angela ein ganzes Heer von Abbates, Maestros, Akademikos über den Hals, die, unbekannt mit seinem eigentlichen Verhältnis, ihn als den unerträglichsten, unhöflichsten Liebhaber, der sich in die liebenswürdige Laune der Signora nicht zu schicken wisse, ausfilzten. Gerade nach einem solchen stürmischen Auftritt war Krespel auf Angelas Landhaus geflohen und vergaß, auf seiner Cremoneser Geige phantasierend, die Leiden des Tages. Doch nicht lange dauerte es, als Signora, die dem Rat schnell nachgefahren, in den Saal trat. Sie war gerade in der Laune, die Zärtliche zu spielen, sie umarmte den Rat mit süßen schmachtenden Blicken, sie legte das Köpfchen auf seine Schulter. Aber der Rat, in die Welt seiner Akkorde verstiegen, geigte fort, daß die Wände widerhallten, und es begab sich, daß er mit Arm und

Bogen die Signora etwas unsanft berührte. Die sprang aber voller Furie zurück; „bestia tedesca[9]", schrie sie auf, riß dem Rat die Geige aus der Hand und zerschlug sie an dem Marmortisch in tausend Stücke. Der Rat blieb, erstarrt zur Bildsäule, vor ihr stehen, dann aber, wie aus dem Traume erwacht, faßte er Signora mit Riesenstärke, warf sie durch das Fenster ihres eigenen Lusthauses und floh, ohne sich weiter um etwas zu bekümmern, nach Venedig – nach Deutschland zurück. Erst nach einiger Zeit wurde es ihm recht deutlich, was er getan; obschon er wußte, daß die Höhe des Fensters vom Boden kaum fünf Fuß betrug, und ihm die Notwendigkeit, Signora bei obbewandten Umständen durchs Fenster zu werfen, ganz einleuchtete, so fühlte er sich doch von peinlicher Unruhe gequält, um so mehr, da Signora ihm nicht undeutlich zu verstehen gegeben, daß sie guter Hoffnung sei. Er wagte kaum Erkundigungen einzuziehen, und nicht wenig überraschte es ihn, als er nach ungefähr acht Monaten einen gar zärtlichen Brief von der geliebten Gattin erhielt, worin sie jenes Vorganges im Landhause mit keiner Silbe erwähnte, und der Nachricht, daß sie von einem herzallerliebsten Töchterchen entbunden, die herzlichste Bitte hinzufügte, daß der Marito amato e padre felicissimo[10] doch nur gleich nach Venedig kommen möge. Das tat Krespel nicht, erkundigte sich vielmehr bei einem vertrauten Freunde nach den näheren Umständen und erfuhr, daß Signora damals, leicht wie ein Vogel, in das weiche Gras herabgesunken sei, und der Fall oder Sturz durchaus keine andere als psychische Folgen gehabt habe. Signora sei nämlich nach Krespels heroischer Tat wie umgewandelt; von Launen, närrischen Einfällen, von irgendeiner Quälerei ließe sie durchaus nichts mehr verspüren, und der

9. Deutsches Vieh.
10. Geliebte Gatte und glücklichste Vater.

Maestro, der für das nächste Karneval komponiert, sei der glücklichste Mensch unter der Sonne, weil Signora seine Arien ohne hunderttausend Abänderungen, die er sich sonst gefallen lassen müssen, singen wolle. Übrigens habe man alle Ursache, meinte der Freund, es sorgfältig zu verschweigen, wie Angela kuriert worden, da sonst jedes Tages Sängerinnen durch die Fenster fliegen würden. Der Rat geriet nicht in geringe Bewegung, er bestellte Pferde, er setzte sich in den Wagen. „Halt!" rief er plötzlich. – „Wie", murmelte er dann in sich hinein, „ist's denn nicht ausgemacht, daß, sobald ich mich blicken lasse, der böse Geist wieder Kraft und Macht erhält über Angela? – Da ich sie schon zum Fenster herausgeworfen, was soll ich nun in gleichem Falle tun? was ist mir noch übrig?" – Er stieg wieder aus dem Wagen, schrieb einen zärtlichen Brief an seine genesene Frau, worin er höflich berührte, wie zart es von ihr sei, ausdrücklich es zu rühmen, daß das Töchterchen gleich ihm ein kleines Mal hinter dem Ohre trage, und – blieb in Deutschland. Der Briefwechsel dauerte sehr lebhaft fort. – Versicherungen der Liebe – Einladungen – Klagen über die Abwesenheit der Geliebten – verfehlte Wünsche – Hoffnungen usw. flogen hin und her von Venedig nach H–, von H– nach Venedig. – Angela kam endlich nach Deutschland und glänzte, wie bekannt, als Primadonna auf dem großen Theater in F**. Ungeachtet sie gar nicht mehr jung war, riß sie doch alles hin mit dem unwiderstehlichen Zauber ihres wunderbar herrlichen Gesanges. Ihre Stimme hatte damals nicht im mindesten verloren. Antonie war indessen herangewachsen, und die Mutter konnte nicht genug dem Vater schreiben, wie in Antonien eine Sängerin vom ersten Range aufblühe. In der Tat bestätigten dies die Freunde Krespels in F**, die ihm zusetzten, doch nur einmal nach F** zu kommen, um die seltne Erscheinung zwei ganz sublimer Sängerinnen zu bewundern. Sie ahnten nicht, in welchem nahen Verhältnis der Rat mit diesem Paare stand. Krespel hätte gar zu gern die Tochter, die recht in seinem Innersten lebte und die ihm öfters als Traumbild erschien, mit leiblichen Augen gesehen, aber sowie er an seine Frau dachte, wurde es ihm ganz unheimlich zumute, und er blieb zu Hause unter seinen zerschnittenen Geigen sitzen.

Ihr werdet von dem hoffnungsvollen jungen Komponisten B . . in F** gehört haben, der plötzlich verscholl, man wußte nicht wie (oder kanntet ihr ihn vielleicht selbst?). Dieser verliebte sich in Antonien so sehr, daß er, da Antonie seine Liebe recht herzlich erwiderte, der Mutter anlag, doch nur gleich in eine Verbindung zu willigen, die die Kunst heilige. Angela hatte nichts dagegen, und der Rat stimmte um so lieber bei, als des jungen Meisters Kompositionen Gnade gefunden vor seinem strengen Richterstuhl. Krespel glaubte Nachricht von der vollzogenen Heirat zu erhalten, statt derselben kam ein schwarz gesiegelter Brief, von fremder Hand überschrieben. Der Doktor R . . . meldete dem Rat, daß Angela an den Folgen einer Erkältung im Theater heftig erkrankt und gerade in der Nacht, als am andern Tage Antonie getraut werden sollen, gestorben sei. Ihm, dem Doktor, habe Angela entdeckt, daß sie Krespels Frau und Antonie seine Tochter sei; er möge daher eilen, sich der Verlassenen anzunehmen. So sehr auch der Rat von Angelas Hinscheiden erschüttert wurde, war es ihm doch bald, als sei ein störendes unheimliches Prinzip aus seinem Leben gewichen, und er könne nun erst recht frei atmen. Noch denselben Tag reiste er ab nach F**. — Ihr könnt nicht glauben, wie herzzerreißend mir der Rat den Moment schilderte, als er Antonien sah. Selbst in der Bizarrerie seines Ausdrucks lag eine wunderbare Macht der Darstellung, die auch nur anzudeuten ich gar nicht imstande bin. —

Alle Liebenswürdigkeit, alle ~~grace~~ Anmut Angelas wurde Antonien zuteil, der aber die häßliche Kehrseite ganz fehlte. Es gab kein zweideutig Pferdefüßchen, das hin und wieder hervorgucken konnte. Der junge Bräutigam fand sich ein, Antonie, mit zartem Sinn den wunderlichen Vater im tiefsten Innern richtig auffassend, sang eine jener Motetten des alten Padre Martini[11], von denen sie wußte, daß Angela sie dem Rat in der höchsten Blüte ihrer Liebeszeit unaufhörlich vorsingen müssen. Der Rat vergoß Ströme von Tränen, nie hatte er selbst Angela so singen hören. Der Klang von Antoniens Stimme war ganz eigentümlich und seltsam, oft dem Hauch der Äolsharfe, oft dem Schmettern der Nachtigall gleichend. Die Töne schienen nicht Raum haben zu können in der menschlichen Brust. Antonie, vor Freude und Liebe glühend, sang und sang alle ihre schönsten Lieder, und B . . . spielte dazwischen, wie es nur die wonnetrunkene Begeisterung vermag. Krespel schwamm erst in Entzücken, dann wurde er nachdenklich – still – in sich gekehrt. Endlich sprang er auf, drückte Antonien an seine Brust und bat sehr leise und dumpf: „Nicht mehr singen, wenn du mich liebst – es drückt mir das Herz ab – die Angst – die Angst – Nicht mehr singen." –

„Nein", sprach der Rat andern Tages zum Doktor R . . ., „als während des Gesanges ihre Röte sich zusammenzog in zwei dunkelrote Flecke auf den blassen Wangen, da war es nicht mehr dumme Familienähnlichkeit, da war es das, was ich gefürchtet." – Der Doktor, dessen Miene vom Anfang des Gesprächs von tiefer Bekümmernis zeugte, erwiderte: „Mag es sein, daß es von zu früher Anstrengung im Singen herrührt, oder hat die Natur es verschuldet, genug, Antonie leidet an einem organischen Fehler in der

11. Giambattista Martini (1706–84), berühmter Theoretiker, dem noch Mozart als Knabe seine Aufwartung machte.

Brust, der eben ihrer Stimme die wundervolle Kraft und den seltsamen, ich möchte sagen, über die Sphäre des menschlichen Gesanges hinaustönenden Klang gibt. Aber auch ihr früher Tod ist die Folge davon, denn singt sie fort, so gebe ich ihr noch höchstens sechs Monate Zeit." Den Rat zerschnitt es im Innern wie mit hundert Schwertern. Es war ihm, als hinge zum ersten Male ein schöner Baum die wunderherrlichen Blüten in sein Leben hinein, und der solle recht an der Wurzel zersägt werden, damit er nie mehr zu grünen und zu blühen vermöge. Sein Entschluß war gefaßt. Er sagte Antonien alles, er stellte ihr die Wahl, ob sie dem Bräutigam folgen und seiner und der Welt Verlockung nachgeben, so aber früh untergehen, oder ob sie dem Vater noch in seinen alten Tagen nie gefühlte Ruhe und Freude bereiten, so aber noch jahrelang leben wolle. Antonie fiel dem Vater schluchzend in die Arme, er wollte, das Zerreißende der kommenden Momente wohl fühlend, nichts Deutlicheres vernehmen. Er sprach mit dem Bräutigam, aber unerachtet dieser versicherte, daß nie ein Ton über Antoniens Lippen gehen solle, so wußte der Rat doch wohl, daß selbst B . . . nicht der Versuchung würde widerstehen können, Antonien singen zu hören, wenigstens von ihm selbst komponierte Arien. Auch die Welt, das musikalische Publikum, mocht' es auch unterrichtet sein von Antoniens Leiden, gab gewiß die Ansprüche nicht auf, denn dies Volk ist ja, kommt es auf Genuß an, egoistisch und grausam. Der Rat verschwand mit Antonien aus F** und kam nach H–. Verzweiflungsvoll vernahm B . . . die Abreise. Er verfolgte die Spur, holte den Rat ein und kam zugleich mit ihm nach H–. – „Nur einmal ihn sehen und dann sterben", flehte Antonie. „Sterben? – sterben?" rief der Rat in wildem Zorn, eiskalter Schauer durchbebte sein Inneres. – Die Tochter, das einzige Wesen auf der weiten Welt, das nie gekannte

27

Lust in ihm entzündet, das allein ihn mit dem Leben versöhnte, riß sich gewaltsam los von seinem Herzen, und er wollte, daß das Entsetzliche geschehe. – B . . . mußte an den Flügel, Antonie sang, Krespel spielte lustig die Geige, bis sich jene roten Flecke auf Antoniens Wangen zeigten. Da befahl er einzuhalten; als nun aber B . . . Abschied nahm von Antonien, sank sie plötzlich mit einem lauten Schrei zusammen. „Ich glaubte" (so erzählte mir Krespel), „ich glaubte, sie wäre, wie ich es vorausgesehen, nun wirklich tot und blieb, da ich einmal mich selbst auf die höchste Spitze gestellt hatte, sehr gelassen und mit mir einig. Ich faßte den B . . ., der in seiner Erstarrung schafsmäßig und albern anzusehen war, bei den Schultern und sprach: (der Rat fiel in seinen singenden Ton) ‚Da Sie, verehrungswürdigster Klaviermeister, wie Sie gewollt und gewünscht, Ihre liebe Braut wirklich ermordet haben, so können Sie nun ruhig abgehen, es wäre denn, Sie wollten so lange gütigst verziehen, bis ich Ihnen den blanken Hirschfänger durch das Herz renne, damit so meine Tochter, die, wie Sie sehen, ziemlich verblaßt, einige Couleur bekomme durch Ihr sehr wertes Blut. – Rennen Sie nur geschwind, aber ich könnte Ihnen auch ein flinkes Messerchen nachwerfen!' – Ich muß wohl bei diesen Worten etwas graulich ausgesehen haben; denn mit einem Schrei des tiefsten Entsetzens sprang er, sich von mir losreißend, fort durch die Türe, die Treppe herab." – Wie der Rat nun, nachdem B . . . fortgerannt war, Antonien, die bewußtlos auf der Erde lag, aufrichten wollte, öffnete sie tiefseufzend die Augen, die sich aber bald wieder zum Tode zu schließen schienen. Da brach Krespel aus in lautes, trostloses Jammern. Der von der Haushälterin herbeigerufene Arzt erklärte Antoniens Zustand für einen heftigen, aber nicht im mindesten gefährlichen Zufall, und in der Tat erholte sich diese auch schneller, als der Rat es nur zu hoffen gewagt

hatte. Sie schmiegte sich nun mit der innigsten kind-
lichsten Liebe an Krespel; sie ging ein in seine Lieb-
lingsneigungen – in seine tollen Launen und Ein-
fälle. Sie half ihm alte Geigen auseinanderlegen und
neue zusammenleimen. „Ich will nicht mehr singen,
aber für dich leben", sprach sie oft sanft lächelnd zum
Vater, wenn jemand sie zum Gesange aufgefordert und
sie es abgeschlagen hatte. Solche Momente suchte der
Rat indessen ihr soviel möglich zu ersparen, und daher
kam es, daß er ungern mit ihr in Gesellschaft ging
und alle Musik sorgfältig vermied. Er wußte es ja
wohl, wie schmerzlich es Antonien sein mußte, der
Kunst, die sie in solch hoher Vollkommenheit geübt,
ganz zu entsagen. Als der Rat jene wunderbare Geige,
die er mit Antonien begrub, gekauft hatte und zerlegen wollte, blickte ihn Antonie sehr wehmütig an
und sprach leise bittend: „Auch diese?" – Der Rat
wußte selbst nicht, welche unbekannte Macht ihn nö-
tigte, die Geige unzerschnitten zu lassen und darauf zu
spielen. Kaum hatte er die ersten Töne angestrichen,
als Antonie laut und freudig rief: „Ach, das bin ich
ja – ich singe ja wieder." Wirklich hatten die silber-
hellen Glockentöne des Instruments etwas ganz eige-
nes Wundervolles, sie schienen in der menschlichen
Brust erzeugt. Krespel wurde bis in das Innerste gerührt, er spielte wohl herrlicher als jemals, und wenn
er in kühnen Gängen mit voller Kraft, mit tiefem
Ausdruck auf- und niederstieg, dann schlug Antonie
die Hände zusammen und rief entzückt: „Ach, das
habe ich gut gemacht! das habe ich gut gemacht!" –
Seit dieser Zeit kam eine große Ruhe und Heiterkeit
in ihr Leben. Oft sprach sie zum Rat: „Ich möchte
wohl etwas singen, Vater!" Dann nahm Krespel die
Geige von der Wand und spielte Antoniens schönste
Lieder, sie war recht aus dem Herzen froh. – Kurz vor
meiner Ankunft war es in einer Nacht dem Rat so,
als höre er im Nebenzimmer auf seinem Pianoforte

spielen, und bald unterschied er deutlich, daß B . . .
nach gewöhnlicher Art präludiere. Er wollte auf-
stehen, aber wie eine schwere Last lag es auf ihm, wie
mit eisernen Banden gefesselt, vermochte er sich nicht
zu regen und zu rühren. Nun fiel Antonie ein in leisen
hingehauchten Tönen, die immer steigend und steigend
zum schmetternden Fortissimo wurden, dann gestal-
teten sich die wunderbaren Laute zu dem tief ergrei-
fenden Liede, welches B . . . einst ganz im frommen
Stil der alten Meister für Antonie komponiert hatte.
Krespel sagte, unbegreiflich sei der Zustand gewesen,
in dem er sich befunden, denn eine entsetzliche Angst
habe sich gepaart mit nie gefühlter Wonne. Plötzlich
umgab ihn eine blendende Klarheit, und in derselben
erblickte er B . . . und Antonien, die sich umschlungen
hielten und sich voll seligem Entzücken anschauten.
Die Töne des Liedes und des begleitenden Pianofortes
dauerten fort, ohne daß Antonie sichtbar sang oder
B . . . das Fortepiano berührte. Der Rat fiel nun in
eine Art dumpfer Ohnmacht, in der das Bild mit den
Tönen versank. Als er erwachte, war ihm noch jene
fürchterliche Angst aus dem Traume geblieben. Er
sprang in Antoniens Zimmer. Sie lag mit geschlosse-
nen Augen, mit holdselig lächelndem Blick, die Hände
fromm gefaltet, auf dem Sofa, als schliefe sie und
träume von Himmelswonne und Freudigkeit. Sie war
aber tot.

DIE FERMATE

Hummels[1] heitres lebenskräftiges Bild, die Gesellschaft in einer italienischen Lokanda, ist bekannt worden durch die Berliner Kunstausstellung im Herbst 1814, auf der es sich befand, Aug' und Gemüt gar vieler erlustigend. – Eine üppig verwachsene Laube – ein mit Wein und Früchten besetzter Tisch – an demselben zwei italienische Frauen einander gegenübersitzend – die eine singt, die andere spielt Chitarra – zwischen beiden hinterwärts stehend ein Abbate, der den Musikdirektor macht. Mit aufgehobener Battuta[2] paßt er auf den Moment, wenn Signora die Kadenz, in der sie mit himmelwärts gerichtetem Blick begriffen, endigen wird im langen Trillo, dann schlägt er nieder, und die Chitarristin greift keck den Dominanten-Akkord. – Der Abbate ist voll Bewunderung – voll seligen Genusses – und dabei ängstlich gespannt. – Nicht um der Welt willen möchte er den richtigen Niederschlag verpassen. Kaum wagt er zu atmen. Jedem Bienchen, jedem Mücklein möchte er Maul und Flügel verbinden, damit nichts sumse. Um so mehr ist ihm der geschäftige Wirt fatal, der den bestellten Wein gerade jetzt im wichtigsten höchsten Moment herbeiträgt. – Aussicht in einen Laubgang, den glänzende Streiflichter durchbrechen. – Dort hält ein Reiter, aus der Lokanda wird ihm ein frischer Trunk aufs Pferd gereicht. –

Vor diesem Bilde standen die beiden Freunde Eduard und Theodor. „Je mehr ich", sprach Eduard, „diese zwar etwas ältliche, aber wahrhaft virtuosisch begeisterte Sängerin in ihren bunten Kleidern an-

1. Joh. Erdmann Hummel (1769–1852), lebte lange in Italien.
2. Taktstock.

schaue, je mehr ich mich an dem ernsten, echt römischen
Profil, an dem schönen Körperbau der Chitarrspie-
lerin ergötze, je mehr mich der höchst vortreffliche
Abbate belustigt, desto freier und stärker tritt mir
das Ganze ins wirkliche rege Leben. – Es ist offenbar
karikiert im höhern Sinn, aber voll Heiterkeit und
Anmut! – Ich möchte nur gleich hineinsteigen in die
Laube und eine von den allerliebsten Korbflaschen
öffnen, die mich dort vom Tische herab anlächeln. –
Wahrhaftig, mir ist es, als spüre ich schon etwas von
dem süßen Duft des edlen Weins. – Nein, diese An-
regung darf nicht verhauchen in der kalten nüchternen
Luft, die uns hier umweht. – Dem herrlichen Bilde,
der Kunst, dem heitern Italia, wo hoch die Lebens-
lust aufglüht, zu Ehren laß uns hingehen und eine
Flasche italienischen Weins ausstechen." –
    Theodor hatte, während Eduard dies in abgebro-
chenen Sätzen sprach, schweigend und tief in sich gekehrt dagestanden. „Ja, das laß uns tun!" fuhr er
jetzt auf, wie aus einem Traum erwachend, aber
kaum loskommen konnte er von dem Bilde, und als er,
dem Freunde mechanisch folgend, sich schon an der
Tür befand, warf er noch sehnsüchtige Blicke zurück
nach den Sängerinnen und nach dem Abbate. Eduards
Vorschlag ließ sich leicht ausführen. Sie gingen quer
über die Straße, und bald stand in dem blauen Stübchen bei Sala Tarone eine Korbflasche, ganz denen in
der Weinlaube ähnlich, vor ihnen. „Es scheint mir
aber", sprach Eduard, nachdem schon einige Gläser
geleert waren und Theodor noch immer still und in
sich gekehrt blieb, „es scheint mir aber, als habe dich
das Bild auf ganz besondere und gar nicht so lustige
Weise angeregt als mich?" „Ich kann versichern", erwiderte Theodor, „daß auch ich alles Heitere und Anmutige des lebendigen Bildes in vollem Maße genoß,
aber ganz wunderbar ist es doch, daß das Bild getreu
eine Szene aus meinem Leben mit völliger Porträtähn-

lichkeit der handelnden Personen darstellt. Du wirst mir aber zugestehen, daß auch heitere Erinnerungen dann den Geist gar seltsam zu erschüttern vermögen, wenn sie auf solche ganz unerwartete ungewöhnliche Weise plötzlich, wie durch einen Zauberschlag geweckt, hervorspringen. Dies ist jetzt mein Fall." „Aus deinem Leben", fiel Eduard ganz verwundert ein, „eine Szene aus deinem Leben soll das Bild darstellen? Für gutgetroffene Porträts habe ich die Sängerinnen und den Abbate gleich gehalten, aber daß sie dir im Leben vorgekommen sein sollten? Nun, so erzähle nur gleich, wie das alles zusammenhängt; wir bleiben allein, niemand kommt um diese Zeit her." „Ich möchte das wohl tun", sprach Theodor, „aber leider muß ich sehr weit ausholen – von meiner Jugendzeit her." „Erzähle nur getrost", erwiderte Eduard, „ich weiß so noch nicht viel von deinen Jugendjahren. Dauert es lange, so folgt nichts Schlimmeres daraus, als daß wir eine Flasche mehr ausstechen, als wir uns vorgenommen; das nimmt aber kein Mensch übel, weder wir noch Herr Tarone."

„Daß ich nun endlich", fing Theodor an, „alles andere beiseite geworfen und mich der edlen Musika ganz und gar ergeben, darüber wundere sich niemand, denn schon als Knabe mochte ich ja kaum was anderes treiben und klimperte Tag und Nacht auf meines Onkels altem, knarrenden, schwirrenden Flügel. Es war an dem kleinen Orte recht schlecht bestellt um die Musik, niemanden gab es, der mich hätte unterrichten können, als einen alten eigensinnigen Organisten, der war aber ein toter Rechenmeister und quälte mich sehr mit finstern übelklingenden Tokkaten und Fugen. Ohne mich dadurch abschrecken zu lassen, hielt ich treulich aus. Manchmal schalt der Alte gar ärgerlich, aber er durfte nur wieder einmal einen wackern Satz in seiner starken Manier spielen, und versöhnt war ich mit ihm und der Kunst. Ganz wunderbar wurde mir dann oft zumute, mancher Satz, vorzüglich von dem alten Sebastian Bach, glich beinahe einer geisterhaften graulichen Erzählung, und mich erfaßten die Schauer, denen man sich so gern hingibt in der phantastischen Jugendzeit. Ein ganzes Eden erschloß sich mir aber, wenn, wie es im Winter zu geschehen pflegte, der Stadtpfeifer mit seinen Gesellen, unterstützt von ein paar schwächlichen Dilettanten, ein Konzert gab und ich in der Symphonie die Pauken schlug, welches mir vergönnt wurde wegen meines richtigen Takts. Wie lächerlich und toll diese Konzerte oft waren, habe ich erst später eingesehen. Gewöhnlich spielte mein Lehrer zwei Flügelkonzerte von Wolff[3] oder Emanuel Bach[4], ein Kunstpfeifergesell quälte sich mit Stamitz[5], und der Akziseeinnehmer blies auf der Flöte gewaltig und übernahm sich im Atem so, daß er beide Lichter am Pult ausblies, die immer wieder angezündet werden mußten. An Gesang war nicht zu denken, das tadelte mein Onkel, ein großer Freund und Verehrer der Tonkunst, sehr. Er gedachte noch mit Entzücken der älteren Zeit, als die vier Kantoren der vier Kirchen des Orts sich verbanden zur Aufführung von ‚Lottchen am Hofe‘[6] im Konzertsaal. Vorzüglich pflegte er die Toleranz zu rühmen, womit die Sänger sich zum Kunstwerk vereinigt, da außer der katholischen und evangelischen noch die reformierte Gemeinde sich in zwei Zungen, der deutschen und französischen, spaltete; der französische Kantor ließ sich das Lottchen nicht nehmen und trug, wie der Onkel versicherte, brillbewaffnet die Partie mit dem anmutigsten Falsett vor, der jemals aus einer menschlichen Kehle herauspfiff. Nun verzehrte aber bei uns (am Orte, mein ich) eine

3. Wahrscheinlich Ernst Wilhelm Wolf (1735–61).
4. Karl Philipp Emanuel Bach (1714–88), Sohn Joh. Seb. Bachs.
5. Wahrscheinlich ist Johann Stamitz (1717–57) gemeint, Vorläufer Haydns und Mozarts.
6. Singspiel von Joh. Ad. Hiller (1767).

fünfundfünfzigjährige Demoiselle, namens Meibel, die karge Pension, welche sie als jubilierte Hofsängerin aus der Residenz erhielt, und mein Onkel meinte richtig, die Meibel könne für das Geld noch wirklich was weniges jubilieren im Konzerte. Sie tat vornehm und ließ sich lange bitten, doch gab sie endlich nach, und so kam es im Konzerte auch zu Bravourarien. Es war eine wunderliche Person, diese Demoiselle Meibel. Ich habe die kleine hagere Gestalt noch lebhaft in Gedanken. Sehr feierlich und ernst pflegte sie mit ihrer Partie in der Hand in einem buntstoffnen Kleide vorzutreten und mit einer sanften Beugung des Oberleibes die Versammlung zu begrüßen. Sie trug einen ganz sonderbaren Kopfputz, an dessen Vorderseite ein Strauß von italienischen Porzellanblumen befestigt war, der, indem sie sang, seltsam zitterte und nickte. Wenn sie geendigt und die Gesellschaft nicht wenig applaudiert hatte, gab sie ihre Partie mit stolzem Blick meinem Lehrer, dem es vergönnt war, in die kleine Porzellandose zu greifen, die einen Mops vorstellte und die sie hervorgezogen, um daraus mit vieler Behaglichkeit Tabak zu nehmen. Sie hatte eine garstige quäkende Stimme, machte allerlei skurrile Schnörkel und Koloraturen, und du kannst denken, wie dies, verbunden mit dem lächerlichen Eindruck ihrer äußeren Erscheinung, auf mich wirken mußte. Mein Onkel ergoß sich in Lobeserhebungen, ich konnte das nicht begreifen und gab mich um so eher meinem Organisten hin, der, überhaupt ein Verächter des Gesanges, in seiner hypochondrischen boshaften Laune die alte possierliche Demoiselle gar ergötzlich zu parodieren wußte.

Je lebhafter ich jene Verachtung des Gesanges mit meinem Lehrer teilte, desto höher schlug er mein musikalisches Genie an. Mit dem größesten Eifer unterrichtete er mich im Kontrapunkt, und bald setzte ich die künstlichsten Fugen und Tokkaten. Ebensolch ein künstliches Stück von meiner Arbeit spielte ich einst an meinem Geburtstage (neunzehn Jahr war ich alt worden) dem Onkel vor, als der Kellner aus unserm vornehmsten Gasthause ins Zimmer trat, zwei ausländische, eben gekommene Damen ankündigend. Noch ehe der Onkel den großgeblümten Schlafrock abwerfen und sich ankleiden konnte, traten die Gemeldeten schon hinein. – Du weißt, wie jede fremde Erscheinung auf den in kleinstädtischer Beengtheit Erzogenen elektrisch wirkt – zumal diese, welche so unerwartet in mein Leben trat, war ganz dazu geeignet, mich wie ein Zauberschlag zu treffen. Denke dir zwei schlanke, hochgewachsene Italienerinnen, nach der letzten Mode phantastisch bunt gekleidet, recht virtuosisch keck und doch gar anmutig auf meinen Onkel zuschreitend und auf ihn hineinredend mit starker, aber wohltönender Stimme. – Was sprechen sie denn für eine sonderbare Sprache? – nur zuweilen klingt es beinahe wie deutsch! – Der Onkel versteht kein Wort – verlegen zurücktretend – ganz verstummt, zeigt er nach dem Sofa. Sie nehmen Platz – sie reden untereinander, das tönt wie lauter Musik. – Endlich verständigen sie sich dem Onkel, es sind reisende Sängerinnen, sie wollen Konzert geben am Orte und wenden sich an ihn, der solche musikalische Operationen einzuleiten vermag.

Wie sie miteinander sprachen, hatte ich ihre Vornamen herausgehorcht, und es war mir, als könne ich, da zuvor mich die Doppelerscheinung verwirrt, jetzt besser und deutlicher jede einzelne erfassen. Lauretta, anscheinend die ältere, mit strahlenden Augen umherblitzend, sprach mit überwallender Lebhaftigkeit und heftiger Gestikulation auf den ganz verlegenen Onkel hinein. Nicht eben zu groß, war sie üppig gebaut, und mein Auge verlor sich in manchen mir noch fremden Reizen. Teresina, größer, schlanker, länglichen ernsten Gesichts, sprach nur wenig, indessen verständlicher dazwischen. Dann und wann lächelte sie ganz

seltsam, es war beinahe, als ergötze sie sehr der gute
Onkel, der sich in seinen seidenen Schlafrock wie in
ein Gehäuse einzog und vergebens suchte, ein verräte-
risches gelbes Band zu verstecken, womit die Nacht-
jacke zugebunden, und das immer wieder ellenlang
aus dem Busen hervorwedelte. Endlich standen sie auf,
der Onkel versprach, für den dritten Tag das Konzert anzuordnen, und wurde samt mir, den er als
einen jungen Virtuosen vorgestellt, höflichst auf
nachmittag zur Ciocolata[7] von den Schwestern eingeladen. Wir stiegen ganz feierlich und schwer die
Treppen hinan, es war uns beiden ganz seltsam zumute, als sollten wir irgendein Abenteuer bestehen,
dem wir nicht gewachsen. Nachdem der Onkel, gehörig dazu vorbereitet, über die Kunst viel Schönes
gesprochen, welches niemand verstand, weder er noch
wir andern, nachdem ich mit der brühheißen Schokolade mir zweimal die Zunge versengt, aber, ein
Scävola[8] an stoischem Gleichmut, gelächelt hatte
zum wütenden Schmerz, sagte Lauretta, sie wolle uns
etwas vorsingen. Teresina nahm die Chitarra, stimmte
und griff einige volle Akkorde. Nie hatte ich das
Instrument gehört, ganz wunderbar erfaßte mich tief
im Innersten der dumpfe geheimnisvolle Klang, in
dem die Saiten erbebten. Ganz leise fing Lauretta den
Ton an, den sie aushielt bis zum Fortissimo und dann
schnell losbrach in eine kecke krause Figur durch an-
derthalb Oktaven. Noch weiß ich die Worte des Anfangs: ›Sento l'amica speme[9].‹ – Mir schnürte es die
Brust zusammen, nie hatte ich das geahnet. Aber sowie
Lauretta immer kühner und freier des Gesanges

7. Schokolade.
8. Gaius Mucius Scävola, römische Sagengestalt. Als der Etrus-
ker Porsenna Rom belagerte, soll Mucius, bei einem Mordversuch
auf diesen gefangengenommen, zum Beweis seiner Furchtlosigkeit
seine rechte Hand im Altarfeuer verbrannt haben. Mucius erhielt
darauf den Beinamen Scävola (Linkshand).
9. Ich fühle frohe Hoffnung.

Schwingen regte, wie immer feuriger funkelnd der Töne Strahlen mich umfingen, da ward meine innere Musik, so lange tot und starr, entzündet und schlug empor in mächtigen herrlichen Flammen. Ach! – ich hatte ja zum erstenmal in meinem Leben Musik gehört. – Nun sangen beide Schwestern jene ernste, tief gehaltene Duetten vom Abbate Steffani[10]. Teresinas volltönender, himmlisch reiner Alt drang mir durch die Seele. Nicht zurückhalten konnte ich meine innere Bewegung, mir stürzten die Tränen aus den Augen. Der Onkel räusperte sich, mir mißfällige Blicke zuwerfend, das half nichts, ich war wirklich ganz außer mir. Den Sängerinnen schien das zu gefallen, sie erkundigten sich nach meinen musikalischen Studien, ich schämte mich meines musikalischen Treibens, und mit der Dreistigkeit, die die Begeisterung mir gegeben, erklärte ich geradezu heraus, erst heute hätte ich Musik gehört! ›Il bon fanciullo[11]‹, lispelte Lauretta recht süß und lieblich. Als ich nach Hause gekommen, befiel mich eine Art von Wut, ich ergriff alle Tokkaten und Fugen, die ich zusammengedrechselt, ja sogar fünfundvierzig Variationen über ein kanonisches Thema, die der Organist komponiert und mir verehrt in sauberer Abschrift, warf alles ins Feuer und lachte recht hämisch, als der doppelte Kontrapunkt so dampfte und knisterte. Nun setzte ich mich ans Instrument und versuchte erst die Töne der Chitarra nachzuahmen, dann die Melodien der Schwestern nachzuspielen, ja endlich nachzusingen. ›Man quäke nicht so schrecklich und lege sich fein aufs Ohr‹, rief um Mitternacht endlich der Onkel, löschte mir beide Lichter aus und kehrte in sein Schlafzimmer zurück, aus dem er hervorgetreten. Ich mußte gehorchen. Der Traum brachte mir das Geheimnis des Gesanges – so glaubte ich –, denn ich sang vortrefflich ›sento l'amica

10. Agostino Steffani (1654–1728), italienischer Komponist.
11. Das gute Kind.

speme'. – Den andern Morgen hatte der Onkel alles, was nur geigen und pfeifen konnte, zur Probe bestellt. Stolz wollte er zeigen, wie herrlich unsere Musik beschaffen, es lief indessen höchst unglücklich ab. Lauretta legte eine große Szene auf, aber gleich im Rezitativ tobten sie alle durcheinander, keiner hatte eine Idee vom Akkompagnieren. Lauretta schrie – wütete – weinte vor Zorn und Ungeduld. Der Organist saß am Flügel, über den fiel sie her mit den bittersten Vorwürfen. Er stand auf und ging in stummer Verstocktheit zur Türe hinaus. Der Stadtpfeifer, dem Lauretta ein: ‚Asino maledetto[12]‘ an den Kopf geworfen, hatte die Violine unter den Arm genommen und den Hut trotzig auf den Kopf geworfen. Er bewegte sich ebenfalls nach der Türe, die Gesellen, Bogen in die Saiten gesteckt, Mundstücke abgeschraubt, folgten. Bloß die Dilettanten schauten umher mit weinerlichen Blicken, und der Akziseinnehmer rief tragisch: ‚O Gott, wie alteriert mich das!‘ – Alle meine Schüchternheit hatte mich verlassen, ich warf mich dem Stadtpfeifer in den Weg, ich bat, ich flehte, ich versprach ihm in der Angst sechs neue Menuetts mit doppeltem Trio für den Stadtball. – Es gelang mir, ihn zu besänftigen. Er kehrte zurück zum Pulte, die Gesellen traten heran, bald war das Orchester hergestellt, nur der Organist fehlte. Langsam wandelte er über den Markt, kein Winken, kein Zurufen lenkte seine Schritte zurück. Teresina hatte alles mit verbissenem Lachen angesehen; Lauretta, so zornig sie erst gewesen, so heiter war sie jetzt. Sie lobte über Gebühr meine Bemühungen, sie fragte mich, ob ich den Flügel spiele, und ehe ich mir's versah, saß ich an des Organisten Stelle vor der Partitur. Noch nie hatte ich den Gesang begleitet oder gar ein Orchester dirigiert. Teresina setzte sich mir zur Seite an den Flügel und

12. Verfluchter Esel.

gab mir jedes Tempo an, ich bekam ein aufmunterndes Bravo nach dem andern von Lauretta, das Orchester fügte sich, es ging immer besser. In der zweiten Probe wurde alles klar, und die Wirkung des Gesanges der Schwestern im Konzert war unbeschreiblich. Es sollten in der Residenz bei der Rückkunft des Fürsten viele Feierlichkeiten stattfinden, die Schwestern waren hinüberberufen, um auf dem Theater und im Konzert zu singen; bis zur Zeit, wenn ihre Gegenwart notwendig, hatten sie sich entschlossen, in unserm Städtchen zu verweilen, und so kam es denn, daß sie noch ein paar Konzerte gaben. Die Bewunderung des Publikums ging über in eine Art Wahnsinn. Nur die alte Meibel nahm bedächtig eine Prise aus dem Porzellanmops und meinte, solch impertinentes Geschrei sei kein Gesang, man müsse hübsch *duse* singen. Mein Organist ließ sich gar nicht mehr sehen, und ich vermißte ihn auch nicht. Ich war der glückseligste Mensch auf Erden! – Den ganzen Tag saß ich bei den Schwestern, akkompagnierte und schrieb die Stimmen aus den Partituren zum Gebrauch in der Residenz. Lauretta war mein Ideal, alle bösen Launen, die entsetzlich aufbrausende Heftigkeit – die virtuosische Quälerei am Flügel – alles ertrug ich mit Geduld! – Sie, nur sie hatte mir ja die wahre Musik erschlossen. Ich fing an das Italienische zu studieren und mich in Kanzonetten zu versuchen. Wie schwebte ich im höchsten Himmel, wenn Lauretta meine Komposition sang und sie gar lobte! Oft war es mir, als habe ich das gar nicht gedacht und gesetzt, sondern in Laurettas Gesange strahle erst der Gedanke hervor. An Teresina konnte ich mich nicht recht gewöhnen, sie sang nur selten, schien nicht viel auf mein ganzes Treiben zu geben, und zuweilen war es mir sogar, als lache sie mich hinterrücks aus. Endlich kam die Zeit der Abreise heran. Nun erst fühlte ich, was mir Lauretta geworden und die Unmöglichkeit, mich von ihr zu trennen. Oft, wenn sie recht smorfiosa[13] gewesen, liebkoste sie mich, wiewohl auf ganz unverfänglicher Weise, aber mein Blut kochte auf, und nur die seltsame Kälte, die sie mir entgegenzusetzen wußte, hielt mich ab, hell auflodernd in toller Liebeswut sie in meine Arme zu fassen. – Ich hatte einen leidlichen Tenor, den ich zwar nie geübt, der sich aber jetzt schnell ausbildete. Häufig sang ich mit Lauretta jene zärtliche italienische Duettini, deren Zahl unendlich ist. Eben ein solches Duett sangen wir, die Abreise war nahe. – ‚senza di te ben mio, vivere non poss'io[14]‘ – Wer vermochte das zu ertragen! – Ich stürzte zu Laurettas Füßen – ich war in Verzweiflung! Sie hob mich auf: ‚Aber mein Freund! dürfen wir uns denn trennen?‘ – Ich horchte voll Erstaunen hoch auf. Sie schlug mir vor, mit ihr und Teresina nach der Residenz zu gehen, denn aus dem Städtchen heraus müßte ich doch einmal, wenn ich mich der Musik ganz widmen wolle. Denke dir einen, der in den schwärzesten bodenlosen Abgrund stürzt, er verzweifelt am Leben, aber in dem Augenblick, wo er den Schlag, der ihn zerschmettert, zu empfinden glaubt, sitzt er in einer herrlichen hellen Rosenlaube, und hundert bunte Lichterchen umhüpfen ihn und rufen: ‚Liebster, bis dato leben Sie noch!‘ – So war mir jetzt zumute. Mit nach der Residenz! das stand fest in meiner Seele! – Nicht ermüden will ich dich damit, wie ich es anfing, dem Onkel zu beweisen, daß ich nun durchaus nach der ohnehin nicht sehr entfernten Residenz müßte. Er gab endlich nach, versprach sogar mitzureisen. Welch ein Strich durch die Rechnung! – Meine Absicht, mit den Sängerinnen zu reisen, durfte ich ja nicht laut werden lassen. Ein tüchtiger Katarrh, der den Onkel befiel, rettete mich. Mit der Post fuhr ich von dannen, aber nur bis auf die nächste Station, wo ich blieb, um meine Göttin zu

13. Spröde.
14. Ohne dich, mein Schatz, kann ich nicht leben.

erwarten. Ein wohlgespickter Beutel setzte mich in den Stand, alles gehörig vorzubereiten. Recht romantisch wollte ich die Damen wie ein beschützender Paladin zu Pferde begleiten; ich wußte mir einen nicht besonders schönen, aber nach der Versicherung des Verkäufers geduldigen Gaul zu verschaffen und ritt zur bestimmten Zeit den Sängerinnen entgegen. Bald kam der kleine zweisitzige Wagen langsam heran. Den Hintersitz hatten die Schwestern eingenommen, auf dem kleinen Rücksitz saß ihr Kammermädchen, die kleine dicke Gianna, eine braune Neapolitanerin. Außerdem war noch der Wagen mit allerlei Kisten, Schachteln und Körben, von denen reisende Damen sich nie trennen, vollgepackt. Von Giannas Schoße bellten mir zwei kleine Möpse entgegen, als ich froh die Erwarteten begrüßte. Alles ging glücklich vonstatten, wir waren schon auf der letzten Station, da hatte mein Pferd den besondern Einfall, nach der Heimat zurückkehren zu wollen. Das Bewußtsein, in dergleichen Fällen nicht mit sonderlichem Erfolg Strenge brauchen zu können, riet mir, alle nur mögliche sanfte Mittel zu versuchen, aber der starrsinnige Gaul blieb ungerührt bei meinem freundlichen Zureden. Ich wollte vorwärts, er rückwärts, alles, was ich mit Mühe über ihn erhielt, war, daß, statt rückwärts auszureißen, er sich nur im Kreise drehte. Teresina bog sich zum Wagen heraus und lachte sehr, während Lauretta, beide Hände vor dem Gesicht, laut aufschrie, als sei ich in größter Lebensgefahr. Das gab mir den Mut der Verzweiflung, ich drückte beide Sporen dem Gaul in die Rippen, lag aber auch in demselben Augenblick, unsanft hinabgeschleudert, auf dem Boden. Das Pferd blieb ruhig stehen und schaute mich mit lang vorgerecktem Halse ordentlich verhöhnend an. Ich vermochte nicht aufzustehen, der Kutscher eilte mir zu helfen, Lauretta war herausgesprungen und weinte und schrie, Teresina lachte unaufhörlich. Ich hatte mir den Fuß verstaucht und konnte nicht wieder aufs Pferd. Wie sollte ich fort? Das Pferd wurde an den Wagen gebunden, in den ich hineinkriechen mußte. Denke dir zwei ziemlich robuste Frauenzimmer, eine dicke Magd, zwei Möpse, ein Dutzend Kisten, Schachteln und Körbe und nun noch mich dazu in einen kleinen zweisitzigen Wagen zusammengepackt – denke dir Laurettas Jammern über den unbequemen Sitz – das Heulen der Möpse – das Geschnatter der Neapolitanerin – Teresinas Schmollen – meinen unsäglichen Schmerz am Fuße, und du wirst das Anmutige meiner Lage ganz empfinden. Teresina konnte es, wie sie sagte, nicht länger aushalten. Man hielt, mit einem Satz war sie aus dem Wagen heraus. Sie band mein Pferd los, setzte sich quer über den Sattel und trabte und kurbettierte vor uns her. Gestehen mußte ich, daß sie sich gar herrlich ausnahm. Die ihr in Gang und Stellung eigene Hoheit und Grazie zeigte sich noch mehr auf dem Pferde. Sie ließ sich die Chitarra hinausreichen und, die Zügel um den Arm geschlungen, sang sie stolze spanische Romanzen, volle Akkorde dazu greifend. Ihr helles seidenes Kleid flatterte, im schimmernden Faltenwurf spielend, und wie in den Tönen kosende Luftgeister nickten und wehten die weißen Federn auf ihrem Hute. Die ganze Erscheinung war hochromantisch, ich konnte kein Auge von Teresina wenden, unerachtet Lauretta sie eine phantastische Närrin schalt, der die Keckheit übel bekommen würde. Es ging aber glücklich, das Pferd hatte allen Starrsinn verloren, oder es war ihm die Sängerin lieber als der Paladin, kurz – erst vor den Toren der Residenz kroch Teresina wieder ins Wagengehäuse hinein.

Sieh mich jetzt in Konzerten und Opern, sieh mich in aller möglichen Musik schwelgen – sieh mich als fleißigen Correpetitore am Flügel, Arien, Duetten und was weiß ich sonst einstudieren. Du merkst es dem ganz veränderten Wesen an, daß ein wunderbarer Geist mich durchdringt. Alle kleinstädtische Scheu ist abgeworfen, wie ein Maestro sitze ich am Flügel vor der Partitur, die Szenen meiner Donna dirigierend. – Mein ganzer Sinn – meine Gedanken sind süße Melodie. – Ich schreibe, unbekümmert um kontrapunktische Künste, allerlei Kanzonetten und Arien, die Lauretta singt, wiewohl nur im Zimmer. – Warum will sie nie etwas von mir im Konzert singen? – Ich begreife es nicht! – Aber Teresina erscheint mir zuweilen auf stolzem Roß mit der Lyra wie die Kunst selbst in kühner Romantik – unwillkürlich schreib ich manch hohes ernstes Lied! – Es ist wahr, Lauretta spielt mit den Tönen wie eine launische Feenkönigin. Was darf sie wagen, das ihr nicht glücke? Teresina bringt keine Roulade heraus – ein simpler Vorschlag, ein Mordent[15] höchstens, aber ihr langgehaltener Ton leuchtet durch finstern Nachtgrund, und wunderbare Geister werden wach und schauen mit ernsten Augen tief hinein in die Brust. – Ich weiß nicht, wie ich so lange dafür verschlossen sein konnte. –

Das den Schwestern bewilligte Benefiz-Konzert war herangekommen, Lauretta sang mit mir eine lange Szene von Anfossi[16]. Ich saß wie gewöhnlich am Flügel. Die letzte Fermate trat ein. Lauretta bot alle ihre Kunst auf, Nachtigalltöne wirbelten auf und ab – aushaltende Noten – dann bunte krause Rouladen, ein ganzes Solfeggio! In der Tat schien mir das Ding diesmal beinahe zu lang, ich fühlte einen leisen Hauch; Teresina stand hinter mir. In demselben Augenblick holte Lauretta aus zum anschwellenden Harmonika-Triller, mit ihm wollte sie in das a tempo hinein. Der Satan regierte mich, nieder schlug ich mit beiden Händen den Akkord, das Orchester folgte,

15. Verzierung eines Tones durch Wechsel der Hauptnote mit ihrer Untersekunde.
16. Pasquale Anfossi (1727–97), Opernkomponist.

44

geschehen war es um Laurettas Triller, um den höchsten Moment, der alles in Staunen setzen sollte. Lauretta, mit wütenden Blicken mich durchbohrend, riß die Partie zusammen, warf sie mir an den Kopf, daß die Stücke um mich her flogen, und rannte wie rasend durch das Orchester in das Nebengemach. Sowie das Tutti geschlossen, eilte ich nach. Sie weinte, sie tobte. ‚Mir aus den Augen, Frevler‘, schrie sie mir entgegen – ‚Teufel, der hämisch mich um alles gebracht – um meinen Ruhm, um meine Ehre – ach, um meinen Trillo – Mir aus den Augen, verruchter Sohn der Hölle!‘ – Sie fuhr auf mich los, ich entsprang durch die Türe. Während des Konzerts, das eben jemand vortrug, gelang es endlich Teresinen und dem Kapellmeister, die Wütende so weit zu besänftigen, daß sie wieder vorzutreten sich entschloß; ich durfte aber nicht mehr an den Flügel. Im letzten Duett, das die Schwestern sangen, brachte Lauretta noch wirklich den anschwellenden Harmonika-Triller an, wurde über die Maßen beklatscht und geriet in die beste Stimmung. Ich konnte indessen die üble Behandlung, die ich in Gegenwart so vieler fremder Personen von Lauretta erduldet, nicht verwinden und war fest entschlossen, den andern Morgen nach meiner Vaterstadt zurückzureisen. Eben packte ich meine Sachen zusammen, als Teresina in mein Stübchen trat. Mein Beginnen gewahrend, rief sie voll Erstaunen: ‚Du willst uns verlassen?‘ Ich erklärte, daß, nachdem ich solche Schmach von Lauretta erduldet, ich länger in ihrer Gesellschaft nicht bleiben könne. ‚Also die tolle Aufführung einer Närrin‘, sprach Teresina, ‚die sie schon herzlich bereut, treibt dich fort? Kannst du denn aber besser leben in deiner Kunst als bei uns? Nur auf dich kommt es ja an, durch dein Betragen Lauretta von ähnlichem Beginnen abzuhalten. Du bist zu nachgiebig, zu süß, zu sanft. Überhaupt schlägst du Laurettas Kunst zu hoch an. Sie hat keine üble Stimme und viel Umfang, das ist wahr, aber alle diese sonderbaren wirblichten Schnörkel, die ungemessenen Läufe, diese ewigen Triller, was sind sie anders, als blendende Kunststückchen, die so bewundert werden, wie die waghalsigen Sprünge des Seiltänzers? Kann denn so etwas tief in uns eindringen und das Herz rühren? Den Harmonika-Triller, den du verdorben, kann ich nun gar nicht leiden, es wird mir ängstlich und weh dabei. Und dann dies Hochhinaufklettern in die Region der drei Striche, ist das nicht ein erzwungenes Übersteigen der natürlichen Stimme, die doch nur allein wahrhaft rührend bleibt? Ich lobe mir die Mittel- und die tiefen Töne. Ein in das Herz dringender Laut, ein wahrhaftes Portamento di voce[17] geht mir über alles. Keine unnütze Verzierung, ein fest und stark gehaltener Ton – ein bestimmter Ausdruck, der Seele und Gemüt erfaßt, das ist der wahre Gesang, und so singe ich. Magst du Lauretta nicht mehr leiden, so denke an Teresina, die dich so gern hat, weil du nach deiner eigentlichen Art und Weise eben mein Maestro und Compositore werden wirst. – Nimm mir's nicht übel! Alle deine zierlichen Kanzonetten und Arien sind gar nichts wert gegen das einzige.' – Teresina sang mit ihrer sonoren vollen Stimme einen einfachen kirchenmäßigen Kanzone, den ich vor wenigen Tagen gesetzt. Nie hatte ich geahnt, daß das so klingen könnte. Die Töne drangen mit wunderbarer Gewalt in mich hinein, die Tränen standen mir in den Augen vor Lust und Entzücken, ich ergriff Teresinas Hand, ich drückte sie tausendmal an den Mund, ich schwur, mich niemals von ihr zu trennen. – Lauretta sah mein Verhältnis mit Teresina mit neidischem verbissenen Ärger an, indessen sie bedurfte meiner, denn trotz ihrer Kunst war sie nicht imstande, Neues ohne Hilfe einzustudieren, sie las schlecht und war auch nicht taktfest. Teresina

17. Eine Gesangsmanier, bei der ein Ton zum anderen hinübergeschleift wird.

las alles vom Blatt, und daneben war ihr Taktgefühl
ohnegleichen. Nie ließ Lauretta ihren Eigensinn und
ihre Heftigkeit mehr aus als beim Akkompagnieren.
Nie war ihr die Begleitung recht – sie behandelte das
als ein notwendiges Übel – man sollte den Flügel gar
nicht hören, immer pianissimo – immer nachgeben und
nachgeben – jeder Takt anders, so wie es in ihrem
Kopfe sich nun gerade gestaltet hatte im Moment.
Jetzt setzte ich mich ihr mit festem Sinn entgegen, ich
bekämpfte ihre Unarten, ich bewies ihr, daß ohne
Energie keine Begleitung denkbar sei, daß Tragen des
Gesanges sich merklich unterscheide von taktloser
Zerflossenheit. Teresina unterstützte mich treulich. Ich
komponierte nur Kirchensachen und gab alle Soli
der tiefen Stimme. Auch Teresina hofmeisterte mich
nicht wenig, ich ließ es mir gefallen, denn sie hatte
mehr Kenntnis und (so glaubte ich) mehr Sinn für
deutschen Ernst als Lauretta.

Wir durchzogen das südliche Deutschland. In einer
kleinen Stadt trafen wir auf einen italienischen Tenor,
der von Mailand nach Berlin wollte. Meine Damen
waren entzückt über den Landsmann; er trennte sich
nicht von ihnen, vorzüglich hielt er sich an Teresina,
und zu meinem nicht geringen Ärger spielte ich eine
ziemlich untergeordnete Rolle. Einst wollte ich mit
einer Partitur unter dem Arm gerade ins Zimmer
treten, als ich drinnen ein lebhaftes Gespräch zwischen
meinen Damen und dem Tenor vernahm. Mein Name
wurde genannt – ich stutzte, ich horchte. Das Italienische verstand ich jetzt so gut, daß mir kein Wort ent-
ging. Lauretta erzählte eben den tragischen Vorfall im
Konzert, wie ich ihr durch unzeitiges Niederschlagen
den Triller abgeschnitten. ‚Asino tedesco[18]‘, rief der
Tenor – es war mir zumute, als müßte ich hinein und
den luftigen Theaterhelden zum Fenster hinauswer-

18. Deutscher Esel.

fen – ich hielt an mich. Lauretta sprach weiter, daß
sie mich gleich fortjagen wollen, indessen sei sie durch
mein flehentliches Bitten bewogen worden, mich noch
ferner um sich zu dulden aus Mitleid, da ich bei ihr
den Gesang studieren wollen. Teresina bestätigte dies
zu meinem nicht geringen Erstaunen. ‚Es ist ein gutes
Kind‘, fügte sie hinzu, ‚jetzt ist er in mich verliebt und
setzt alles für den Alt. Einiges Talent ist in ihm, aber
er muß sich aus dem Steifen und Ungelenken heraus-
arbeiten, das den Deutschen eigen. Ich hoffe mir aus
ihm einen Compositore zu bilden, der mir, da wenig
für den Alt geschrieben wird, einige tüchtige Sachen
setzt, nachher lasse ich ihn laufen. Er ist mit seinem
Liebeln und Schmachten sehr langweilig, auch quält er
mich zu sehr mit seinen leidigen Kompositionen, die
zurzeit ganz erbärmlich sind.‘ ‚Wenigstens bin ich ihn
jetzt los‘, fiel Lauretta ein, ‚was hat mich der Mensch
verfolgt mit seinen Arien und Duetten, weißt du wohl
noch, Teresina?‘ – Nun fing Lauretta ein Duett an, das
ich komponiert und das sie sonst hoch gerühmt hatte.
Teresina nahm die zweite Stimme auf, und beide par-
odierten in Stimme und Vortrag mich auf das grau-
samste. Der Tenor lachte, daß es im Zimmer schallte,
ein Eisstrom goß sich durch meine Glieder – mein
Entschluß war gefaßt unwiderruflich. Leise schlich ich
mich fort von der Tür in mein Zimmer zurück, dessen
Fenster in die Seitenstraße gingen. Gegenüber war die
Post gelegen, eben fuhr der Bamberger Postwagen
vor, der gepackt werden sollte. Die Passagiere standen
schon vor dem Torwege, doch hatte ich noch eine
Stunde Zeit. Schnell raffte ich meine Sachen zusammen,
bezahlte großmütig die ganze Rechnung im Gasthofe
und eilte nach der Post. Als ich durch die breite Straße
fuhr, sah ich meine Damen, die mit dem Tenor noch
am Fenster standen und sich auf den Schall des Post-
horns herausbückten. Ich drückte mich zurück in den
Hintergrund und dachte recht mit Lust an die tötende

Wirkung des gallbittern Billetts, das ich für sie im Gasthofe zurückgelassen hatte." –

Mit vieler Behaglichkeit schlürfte Theodor die Neige des glühenden Eleatiko[19] aus, die ihm Eduard eingeschenkt. „Der Teresina", sprach dieser, indem er eine neue Flasche öffnete und geschickt den oben schwimmenden Öltropfen wegschüttete, „der Teresina hätte ich solche Falschheit und Tücke nicht zugetraut. Das anmutige Bild, wie sie zu Pferde, das in zierlichen Kurbetten dahertanzt, spanische Romanzen singt, kommt mir nicht aus den Gedanken." „Das war ihr Kulminationspunkt", fiel Theodor ein. „Noch erinnere ich mich des seltsamen Eindrucks, den die Szene auf mich machte. Ich vergaß meine Schmerzen; Teresina kam mir in der Tat wie ein höheres Wesen vor. Daß solche Momente tief ins Leben greifen und urplötzlich manches eine Form gewinnt, die die Zeit nicht verdüstert, ist nur zu wahr. Ist mir jemals eine kecke Romanze gelungen, so trat gewiß in dem Augenblick des Schaffens Teresinas Bild recht klar und farbicht aus meinem Innern hervor."

„Doch", sprach Eduard, „laß uns auch die kunstreiche Lauretta nicht vergessen und gleich, allen Groll beiseite gesetzt, auf das Wohl beider Schwestern anstoßen." – Es geschah! – „Ach", sprach Theodor, „wie wehen doch aus diesem Wein die holden Düfte Italiens mich an – wie glüht mir doch frisches Leben durch Nerven und Adern! – Ach, warum mußte ich doch das herrliche Land so schnell wieder verlassen!" „Aber", fiel Eduard ein, „noch fand ich in allem, was du erzähltest, keinen Zusammenhang mit dem himmlischen Bilde, und so, glaube ich, hast du noch mehr von den Schwestern zu sagen. Wohl merke ich, daß die Damen auf dem Bilde keine anderen sind als eben Lauretta und Teresina selbst." „So ist es in der Tat",

19. Aleatico, italienischer Weißwein.

erwiderte Theodor, „und meine sehnsüchtigen Stoß-
seufzer nach dem herrlichen Lande leiten sehr gut das
ein, was ich noch zu erzählen habe. Kurz vorher, als
ich vor zwei Jahren Rom verlassen wollte, machte ich
zu Pferde einen kleinen Abstecher. Vor einer Lokanda
stand ein recht freundliches Mädchen, und es fiel mir
ein, wie behaglich es sein müsse, mir von dem nied-
lichen Kinde einen Trunk edlen Weins reichen zu lassen. Ich hielt vor der Haustüre in dem von glühenden
Streiflichtern durchglänzten Laubgange. Mir schallten
aus der Ferne Gesang und Chitarratöne entgegen –
Ich horchte hoch auf, denn die beiden weiblichen Stimmen wirkten ganz sonderbar auf mich, seltsam gingen
dunkle Erinnerungen in mir auf, die sich nicht gestalten
wollten. Ich stieg vom Pferde und näherte mich langsam und auf jeden Ton lauschend der Weinlaube, aus
der die Musik zu ertönen schien. Die zweite Stimme
hatte geschwiegen. Die erste sang allein eine Kanzonetta. Je näher ich kam, desto mehr verlor sich das
Bekannte, das mich erst so angeregt hatte. Die Sängerin war in einer bunten krausen Fermate begriffen.
Das wirbelte auf und ab – auf und ab – endlich hielt
sie einen langen Ton – aber nun brach eine weibliche
Stimme plötzlich in tolles Zanken aus – Verwün-
schungen, Flüche, Schimpfreden! – Ein Mann prote-
stiert, ein anderer lacht. – Eine zweite weibliche
Stimme mischt sich in den Streit. Immer toller und
toller braust der Zank mit aller italienischen Rabbia[20]!
– Endlich stehe ich dicht vor der Laube – ein Abbate
stürzt heraus und rennt mich beinahe über den Haufen – er sieht sich nach mir um, ich erkenne meinen
guten Signor Ludovico, meinen musikalischen Neuig-
keitsträger aus Rom! – ‚Was um des Himmels willen‘,
rufe ich – ‚Ah Signor Maestro! – Signor Maestro‘,
schreit er, ‚retten Sie mich – schützen Sie mich vor

20. Wut.

dieser Wütenden – vor diesem Krokodil – diesem Tiger – dieser Hyäne – diesem Teufel von Mädchen. – Es ist wahr – es ist wahr – ich gab den Takt zu Anfossis Kanzonetta und schlug zu unrechter Zeit mitten in der Fermate nieder – ich schnitt ihr den Trillo ab – aber warum sah ich ihr in die Augen, der satanischen Göttin! – Hole der Teufel alle Fermaten – alle Fermaten!' – In ganz besonderer Bewegung trat ich mit dem Abbate rasch in die Weinlaube und erkannte auf den ersten Blick die Schwestern Lauretta und Teresina. Noch schrie und tobte Lauretta, noch sprach Teresina heftig in sie hinein – der Wirt, die nackten Arme übereinandergeschlagen, schaute lachend zu, während ein Mädchen den Tisch mit neuen Flaschen besetzte. Sowie mich die Sängerinnen erblickten, stürzten sie über mich her: ,Ah Signor Teodoro!' und überhäuften mich mit Liebkosungen. Aller Streit war vergessen. ,Seht hier', sprach Lauretta zum Abbate, ,seht hier einen Compositore, graziös wie ein Italiener, stark wie ein Deutscher!' – Beide Schwestern, sich mit Heftigkeit ins Wort fallend, erzählten nun von den glücklichen Tagen unsers Beisammenseins, von meinen tiefen musikalischen Kenntnissen schon als Jüngling – von unsern Übungen – von der Vortrefflichkeit meiner Kompositionen – nie hätten sie etwas anderes singen mögen, als was ich gesetzt – Teresina verkündigte mir endlich, daß sie von einem Impresario zum nächsten Karneval als erste tragische Sängerin engagiert worden, sie wolle aber erklären, daß sie nur unter der Bedingung singen werde, wenn mir wenigstens die Komposition einer tragischen Oper übertragen würde. – Das Ernste, Tragische sei doch nun einmal mein Fach usw. – Lauretta meinte dagegen, schade sei es, wenn ich nicht meinem Hange zum Zierlichen, Anmutigen, kurz, zur Opera buffa nachgeben wollte. Für diese sei sie als erste Sängerin engagiert, und daß niemand anders als ich die Oper, in der sie zu singen hätte, komponieren solle, verstehe sich von selbst. Du kannst denken, mit welchen besonderen Gefühlen ich zwischen beiden stand. Übrigens siehst du, daß die Gesellschaft, zu der ich trat, eben diejenige ist, welche Hummel malte, und zwar in dem Moment, als der Abbate eben im Begriff ist, in Laurettas Fermate hineinzuschlagen." „Aber dachten sie denn", sprach Eduard, „gar nicht an dein Scheiden, an das gallbittre Billett?" „Auch nicht mit einem Worte", erwiderte Theodor, „und ich ebensowenig, denn längst war aller Groll aus meiner Seele gewichen und mein Abenteuer mit den Schwestern mir spaßhaft geworden. Das einzige, was ich mir erlaubte, war, dem Abbate zu erzählen, wie vor mehreren Jahren mir auch in einer Anfossischen Arie ein ganz gleicher Unfall begegnet wie heute ihm. Ich drängte mein ganzes Beisammensein mit den Schwestern in die tragikomische Szene hinein und ließ, kräftige Seitenhiebe austeilend, die Schwestern das Übergewicht fühlen, das die an mancher Lebens- und Kunsterfahrung reichen Jahre mir über sie gegeben hatten. ‚Und gut war es doch', schloß ich, ‚daß ich hineinschlug in die Fermate, denn das Ding war angelegt auf ewige Zeiten, und ich glaube, ließ ich die Sängerin gewähren, so säß' ich noch am Flügel.' ‚Doch! Signor', erwiderte der Abbate, ‚welcher Maestro darf sich anmaßen, der Primadonna Gesetze zu geben, und dann war Ihr Vergehen viel größer als das meinige, im Konzertsaal, und hier in der Laube – eigentlich war ich nur Maestro in der Idee, niemand durfte was darauf geben – und hätte mich dieser himmlischen Augen süßer Feuerblick nicht betört, so wär' ich nicht ein Esel gewesen.' Des Abbate letzte Worte waren heilbringend, denn Lauretta, deren Augen, während der Abbate sprach, wieder zornig zu funkeln anfingen, wurde dadurch ganz besänftigt.

Wir blieben den Abend über beisammen. Vierzehn

Jahre, so lange war es her, als ich mich von den Schwestern trennte, ändern viel. Laurette hatte ziemlich gealtert, indessen war sie noch jetzt nicht ohne Reiz. Teresina hatte sich besser erhalten und ihr schöner Wuchs nicht verloren. Beide gingen ziemlich bunt gekleidet, und ihr ganzer Anstand war wie sonst, also vierzehn Jahre jünger als sie selbst. Teresina sang auf meine Bitte einige der ernsten Lieder, die mich sonst tief ergriffen hatten, aber es war mir, als hätten sie anders in meinem Innern wiedergeklungen, und so war auch Laurettas Gesang, hatte ihre Stimme auch weder an Stärke und Höhe zu merklich verloren, ganz von dem verschieden, der als der ihrige in meinem Innern lebte. Schon dieses Aufdringen der Vergleichung einer innern Idee mit der nicht eben erfreulichen Wirklichkeit mußte mich noch mehr verstimmen, als es das Betragen der Schwestern gegen mich, ihre erheuchelte Ekstase, ihre unzarte Bewunderung, die doch sich wie gnädige Protektion gestaltete, schon vorher getan hatte. – Der drollige Abbate, der mit aller nur erdenklichen Süßigkeit den Amoroso von beiden Schwestern machte, der gute Wein, reichlich genossen, gaben mir endlich meinen Humor wieder, so daß der Abend recht froh in heller Gemütlichkeit verging. Auf das eifrigste luden mich die Schwestern zu sich ein, um gleich mit ihnen das Nötige über die Partien zu verabreden, die ich für sie setzen sollte. – Ich verließ Rom, ohne sie weiter aufzusuchen."

„Und doch", sprach Eduard, „hast du ihnen das Erwachen deines innern Gesanges zu verdanken."

„Allerdings", erwiderte Theodor, „und eine Menge guter Melodien dazu, aber eben deshalb hätte ich sie nie wiedersehen sollen. Jeder Komponist erinnert sich wohl eines mächtigen Eindrucks, den die Zeit nicht vernichtet. Der im Ton lebende Geist sprach, und das war das Schöpfungswort, welches urplötzlich den ihm verwandten, im Innern ruhenden Geist weckte;

mächtig strahlte er hervor und konnte nie mehr untergehen. Gewiß ist es, daß, so angeregt, alle Melodien,
die aus dem Innern hervorgehen, uns nur der Sängerin
zu gehören scheinen, die den ersten Funken in uns
warf. Wir hören sie und schreiben es nur auf, was
sie gesungen. Es ist aber das Erbteil von uns Schwachen, daß wir, an der Erdscholle klebend, so gern das
Überirdische hinabziehen wollen in die irdische ärmliche Beengtheit. So wird die Sängerin unsere Geliebte – wohl gar unsere Frau! – Der Zauber ist vernichtet, und die innere Melodie, sonst Herrliches
verkündend, wird zur Klage über eine zerbrochene
Suppenschüssel oder einen Tintenfleck in neuer
Wäsche. – Glücklich ist der Komponist zu preisen,
der niemals mehr im irdischen Leben *die* wiederschaut,
die mit geheimnisvoller Kraft seine innere Musik zu
entzünden wußte. Mag der Jüngling sich heftig bewegen in Liebesqual und Verzweiflung, wenn die
holde Zauberin von ihm geschieden, ihre Gestalt wird
ein himmelherrlicher Ton, und der lebt fort in ewiger
Jugendfülle und Schönheit, und aus ihm werden die
Melodien geboren, die nur sie und wieder sie sind.
Was ist sie denn nun aber anders als das höchste Ideal,
das aus dem Innern heraus sich in der äußern fremden
Gestalt spiegelte."

„Sonderbar, aber ziemlich plausibel", sagte Eduard,
als die Freunde Arm in Arm aus dem Taronischen
Laden hinausschritten ins Freie.

DON JUAN

*Eine fabelhafte Begebenheit, die sich mit einem
reisenden Enthusiasten zugetragen*

Ein durchdringendes Läuten, der gellende Ruf: „Das
Theater fängt an!" weckte mich aus dem sanften
Schlaf, in den ich versunken war; Bässe brummen
durcheinander – ein Paukenschlag – Trompetenstöße –
ein klares A, von der Hoboe ausgehalten – Violinen
stimmen ein: ich reibe mir die Augen. Sollte der alle-
zeit geschäftige Satan mich im Rausche –? Nein! ich
befinde mich in dem Zimmer des Hotels, wo ich gestern
abend halb gerädert abgestiegen. Gerade über meiner
Nase hängt die stattliche Troddel der Klingelschnur;
ich ziehe sie heftig an, der Kellner erscheint.

„Aber was ums Himmelswillen soll die konfuse
Musik da neben mir bedeuten? gibt es denn ein Konzert hier im Hause?"

„Ew. Exzellenz" – (ich hatte mittags an der Wirtstafel Champagner getrunken) „Ew. Exzellenz wis-
sen vielleicht noch nicht, daß dieses Hotel mit dem
Theater verbunden ist. Diese Tapetentür führt auf
einen kleinen Korridor, von dem Sie unmittelbar in
Nr. 23 treten: das ist die Fremdenloge."

„Was? – Theater? – Fremdenloge?"

„Ja, die kleine Fremdenloge zu zwei, höchstens drei
Personen – nur so für vornehme Herren, ganz grün
tapeziert, mit Gitterfenstern, dicht beim Theater!
Wenn's Ew. Exzellenz gefällig ist – wir führen heute
den ‚Don Juan' von dem berühmten Herrn Mozart
aus Wien auf. Das Legegeld, einen Taler acht Groschen,
stellen wir in Rechnung."

Das letzte sagte er, schon die Logentür aufdrückend,

so rasch war ich bei dem Worte Don Juan durch die Tapetentür in den Korridor geschritten. Das Haus war für den mittelmäßigen Ort geräumig, geschmackvoll verziert und glänzend erleuchtet. Logen und Parterre waren gedrängt voll. Die ersten Akkorde der Ouvertüre überzeugten mich, daß ein ganz vortreffliches Orchester, sollten die Sänger auch nur im mindesten etwas leisten, mir den herrlichsten Genuß des Meisterwerks verschaffen würde. – In dem Andante ergriffen mich die Schauer des furchtbaren, unterirdischen regno all pianto[1]; grausenerregende Ahnungen des Entsetzlichen erfüllten mein Gemüt. Wie ein jauchzender Frevel klang mir die jubelnde Fanfare im siebenten Takte des Allegro; ich sah aus tiefer Nacht feurige Dämonen ihre glühenden Krallen ausstrecken – nach dem Leben froher Menschen, die auf des bodenlosen Abgrunds dünner Decke lustig tanzten. Der Konflikt der menschlichen Natur mit den unbekannten, gräßlichen Mächten, die ihn, sein Verderben erlauernd, umfangen, trat klar vor meines Geistes Augen. Endlich beruhigt sich der Sturm; der Vorhang fliegt auf. Frostig und unmutvoll in seinen Mantel gehüllt, schreitet Leporello in finstrer Nacht vor dem Pavillon einher „Notte e giorno faticar[2]". – Also italienisch? – Hier am deutschen Orte italienisch? Ah che piacere[3]! ich werde alle Rezitative, alles so hören, wie es der große Meister in seinem Gemüt empfing und dachte! Da stürzt Don Juan heraus; hinter ihm Donna Anna, bei dem Mantel den Frevler festhaltend. Welches Ansehn! Sie könnte höher, schlanker gewachsen, majestätischer im Gange sein: aber welch ein Kopf! – Augen, aus denen Liebe, Zorn, Haß, Verzweiflung, wie aus *einem* Brennpunkt eine Strahlenpyramide blitzender Funken werfen, die wie griechi-

1. „Reich der Klage" nennt Dante die Hölle.
2. Keine Ruh' bei Tag und Nacht.
3. O welche Wonne!

sches Feuer unauslöschlich das Innerste durchbrennen! Des dunklen Haares aufgelöste Flechten wallen in Wellenringeln den Nacken hinab. Das weiße Nachtkleid enthüllt verräterisch nie gefahrlos belauschte Reize. Von der entsetzlichen Tat umkrallt, zuckt das Herz in gewaltsamen Schlägen. – Und nun – welche Stimme! „Non sperar se non m'uccidi[4]." – Durch den Sturm der Instrumente leuchten wie glühende Blitze die aus ätherischem Metall gegossenen Töne! – Vergebens sucht sich Don Juan loszureißen. – Will er es denn? Warum stößt er nicht mit kräftiger Faust das Weib zurück und entflieht? Macht ihn die böse Tat kraftlos, oder ist es der Kampf von Haß und Liebe im Innern, der ihm Mut und Stärke raubt? – Der alte Papa hat seine Torheit, im Finstern den kräftigen Gegner anzufallen, mit dem Leben gebüßt; Don Juan und Leporello treten im rezitierenden Gespräch weiter vor ins Proszenium. Don Juan wickelt sich aus dem Mantel und steht da in rotem, gerissenen Sammet mit silberner Stickerei, prächtig gekleidet. Eine kräftige, herrliche Gestalt: das Gesicht ist männlich schön; eine erhabene Nase, durchbohrende Augen, weichgeformte Lippen; das sonderbare Spiel eines Stirnmuskels über den Augenbrauen bringt sekundenlang etwas vom Mephistopheles in die Physiognomie, das, ohne dem Gesicht die Schönheit zu rauben, einen unwillkürlichen Schauer erregt. Es ist, als könne er die magische Kunst der Klapperschlange üben; es ist, als könnten die Weiber, von ihm angeblickt, nicht mehr von ihm lassen und müßten, von der unheimlichen Gewalt gepackt, selbst ihr Verderben vollenden. – Lang und dürr, in rot- und weißgestreifter Weste, kleinem roten Mantel, weißem Hut mit roter Feder, trippelt Leporello um ihn her. Die Züge seines Gesichts mischen sich seltsam zu dem Ausdruck von Gutherzigkeit,

4. Hoffe nicht, eh' du mich tötest, meiner Rache zu entgehn.

Schelmerei, Lüsternheit und ironisierender Frechheit; gegen das grauliche Kopf- und Barthaar stechen seltsam die schwarzen Augenbrauen ab. Man merkt es, der alte Bursche verdient, Don Juans helfender Diener zu sein. – Glücklich sind sie über die Mauer geflüchtet. – Fackeln – Donna Anna und Don Ottavio erscheinen: ein zierliches, geputztes, gelecktes Männlein von einundzwanzig Jahren höchstens. Als Annas Bräutigam wohnte er, da man ihn so schnell herbeirufen konnte, wahrscheinlich im Hause; auf den ersten Lärm, den er gewiß hörte, hätte er herbeieilen und den Vater retten können: er mußte sich aber erst putzen und mochte überhaupt nachts nicht gern sich herauswagen. – „Ma qual mai s'offre, o dei, spettacolo funesto agli occhi miei[5]!" Mehr als Verzweiflung über den grausamsten Frevel liegt in den entsetzlichen, herzzerschneidenden Tönen dieses Rezitativs und Duetts. Don Juans gewaltsames Attentat, das ihm Verderben nur drohte, dem Vater aber den Tod gab, ist es nicht allein, was diese Töne der beängsteten Brust entreißt: nur ein verderblicher, tötender Kampf im Innern kann sie hervorbringen. –

Eben schalt die lange, hagere Donna Elvira, mit sichtlichen Spuren großer, aber verblühter Schönheit, den Verräter, Don Juan: „Tu nido d'inganni[6]", und der mitleidige Leporello bemerkte ganz klug: „Parla come un libro stampato[7]", als ich jemand neben oder hinter mir zu bemerken glaubte. Leicht konnte man die Logentür hinter mir geöffnet haben und hineingeschlüpft sein – das fuhr mir wie ein Stich durchs Herz. Ich war so glücklich, mich allein in der Loge zu befinden, um ganz ungestört das so vollkommen dargestellte Meisterwerk mit allen Empfindungsfasern,

5. Welch ein schreckliches Bild enthüllt sich voll Graun meinen Blicken.
6. Du Ausbund der Schlechtigkeit.
7. Sie spricht wie ein gedrucktes Buch.

wie mit Polypenarmen, zu umklammern und in mein Selbst hineinzuziehn! Ein einziges Wort, das obendrein albern sein konnte, hätte mich auf eine schmerzhafte Weise herausgerissen aus dem herrlichen Moment der poetisch-musikalischen Begeisterung! Ich beschloß, von meinem Nachbar gar keine Notiz zu nehmen, sondern, ganz in die Darstellung vertieft, jedes Wort, jeden Blick zu vermeiden. Den Kopf in die Hand gestützt, dem Nachbar den Rücken wendend, schauete ich hinaus. – Der Gang der Darstellung entsprach dem vortrefflichen Anfange. Die kleine, lüsterne, verliebte Zerlina tröstete mit gar lieblichen Tönen und Weisen den gutmütigen Tölpel Masetto. Don Juan sprach sein inneres, zerrissenes Wesen, den Hohn über die Menschlein um ihn her, nur aufgestellt zu seiner Lust, in ihr mattliches Tun und Treiben verderbend einzugreifen, in der wilden Arie: „Fin ch'han dal vino[8]" – ganz unverhohlen aus. Gewaltiger als bisher zuckte hier der Stirnmuskel. – Die Masken erscheinen. Ihr Terzett ist ein Gebet, das in rein glänzenden Strahlen zum Himmel steigt. – Nun fliegt der Mittelvorhang auf. Da geht es lustig her; Becher erklingen, in fröhlichem Gewühl wälzen sich die Bauern und allerlei Masken umher, die Don Juans Fest herbeigelockt hat. – Jetzt kommen die drei zur Rache Verschwornen. Alles wird feierlicher, bis der Tanz angeht. Zerlina wird gerettet, und in dem gewaltig donnernden Finale tritt mutig Don Juan mit gezogenem Schwert seinen Feinden entgegen. Er schlägt dem Bräutigam den stählernen Galanteriedegen aus der Hand und bahnt sich durch das gemeine Gesindel, das er, wie der tapfere Roland die Armee des Tyrannen Cymork[9], durcheinanderwirft, daß alles

8. Bis von dem Weine glühen die Wangen (die sogenannte Champagner-Arie).
9. Im neunten Gesang von Ariosts „Rasendem Roland" besiegt Roland den Riesen Cimosko.

gar possierlich übereinanderpurzelt, den Weg ins Freie. –

Schon oft glaubte ich dicht hinter mir einen zarten, warmen Hauch gefühlt, das Knistern eines seidenen Gewandes gehört zu haben: das ließ mich wohl die Gegenwart eines Frauenzimmers ahnen, aber ganz versunken in die poetische Welt, die mir die Oper aufschloß, achtete ich nicht darauf. Jetzt, da der Vorhang gefallen war, schauete ich nach meiner Nachbarin. – Nein – keine Worte drücken mein Erstaunen aus: Donna Anna, ganz in dem Kostüme, wie ich sie eben auf dem Theater gesehen, stand hinter mir und richtete auf mich den durchdringenden Blick ihres seelenvollen Auges. – Ganz sprachlos starrte ich sie an; ihr Mund (so schien es mir) verzog sich zu einem leisen ironischen Lächeln, in dem ich mich spiegelte und meine alberne Figur erblickte. Ich fühlte die Notwendigkeit, sie anzureden, und konnte doch die durch das Erstaunen, ja ich möchte sagen, wie durch den Schreck gelähmte Zunge nicht bewegen. Endlich, endlich fuhren mir beinahe unwillkürlich die Worte heraus: „Wie ist es möglich, Sie hier zu sehen?" worauf sie sogleich in dem reinsten Toskanisch erwiderte, daß, verstände und spräche ich nicht Italienisch, sie das Vergnügen meiner Unterhaltung entbehren müsse, indem sie keine andere als nur diese Sprache rede. – Wie Gesang lauteten die süßen Worte. Im Sprechen erhöhte sich der Ausdruck des dunkelblauen Auges, und jeder daraus leuchtende Blitz goß einen Glutstrom in mein Inneres, von dem alle Pulse stärker schlugen und alle Fibern erzuckten. – Es war Donna Anna unbezweifelt. Die Möglichkeit abzuwägen, wie sie auf dem Theater und in meiner Loge habe zugleich sein können, fiel mir nicht ein. So wie der glückliche Traum das Seltsamste verbindet und dann ein frommer Glaube das Übersinnliche versteht und es den sogenannten natürlichen Erscheinungen des Lebens zwanglos anreiht, so geriet ich auch in der Nähe des wunderbaren Weibes in eine Art Somnambulism, in dem ich die geheimen Beziehungen erkannte, die mich so innig mit ihr verbanden, daß sie selbst bei ihrer Erscheinung auf dem Theater nicht hatte von mir weichen können. – Wie gern setzte ich dir, mein Theodor, jedes Wort des merkwürdigen Gesprächs her, das nun zwischen der Signora und mir begann; allein, indem ich das, was sie sagte, deutsch hinschreiben will, finde ich jedes Wort steif und matt, jede Phrase ungelenk, das auszudrücken, was sie leicht und mit Anmut toskanisch sagte.

Indem sie über den Don Juan, über ihre Rolle sprach, war es, als öffneten sich mir nun erst die Tiefen des Meisterwerks, und ich konnte hell hineinblicken und einer fremden Welt phantastische Erscheinungen deutlich erkennen. Sie sagte, ihr ganzes Leben sei Musik, und oft glaube sie manches im Innern geheimnisvoll Verschlossene, was keine Worte aussprächen, singend zu begreifen. „Ja, ich begreife es dann wohl", fuhr sie mit brennendem Auge und erhöheter Stimme fort, „aber es bleibt tot und kalt um mich, und indem man eine schwierige Roulade, eine gelungene Manier beklatscht, greifen eisige Hände in mein glühendes Herz! – Aber du – du verstehst mich, denn ich weiß, daß auch *dir* das wunderbare, romantische Reich aufgegangen, wo die himmlischen Zauber der Töne wohnen!" –

„Wie, du herrliche, wundervolle Frau – – du – du solltest mich kennen?" –

„Ging nicht der zauberische Wahnsinn ewig sehnender Liebe in der Rolle der *** in deiner neuesten Oper aus deinem Innern hervor? – Ich habe dich verstanden: dein Gemüt hat sich im Gesange mir aufgeschlossen! – Ja" (hier nannte sie meinen Vornamen), „ich habe *dich* gesungen, sowie deine Melodien *ich* sind."

Die Theaterglocke läutete: eine schnelle Blässe ent-
färbte Donna Annas ungeschminktes Gesicht; sie fuhr
mit der Hand nach dem Herzen, als empfände sie
einen plötzlichen Schmerz, und indem sie leise sagte:
„Unglückliche Anna, jetzt kommen deine fürchter-
lichsten Momente" – war sie aus der Loge verschwunden. –

Der erste Akt hatte mich entzückt, aber nach dem
wunderbaren Ereignis wirkte jetzt die Musik auf eine
ganz andere, seltsame Weise. Es war, als ginge eine
lang verheißene Erfüllung der schönsten Träume aus
einer andern Welt wirklich in das Leben ein; als
würden die geheimsten Ahnungen der entzückten
Seele in Tönen festgebannt und müßten sich zur
wunderbarsten Erkenntnis seltsamlich gestalten. – In
Donna Annas Szene fühlte ich mich von einem sanften,
warmen Hauch, der über mich hinwegglitt, in trunke-
ner Wollust erbeben; unwillkürlich schlossen sich
meine Augen, und ein glühender Kuß schien auf
meinen Lippen zu brennen: aber der Kuß war ein wie
von ewig dürstender Sehnsucht lang ausgehaltener
Ton.

Das Finale war in frevelnder Lustigkeit angegan-
gen: „Gia la mensa è preparata[10]!" – Don Juan saß
kosend zwischen zwei Mädchen und lüftete einen Kork
nach dem andern, um den brausenden Geistern, die
hermetisch verschlossen, freie Herrschaft über sich zu
verstatten. Es war ein kurzes Zimmer mit einem
großen gotischen Fenster im Hintergrunde, durch das
man in die Nacht hinaussah. Schon während Elvira
den Ungetreuen an alle Schwüre erinnert, sah man es
oft durch das Fenster blitzen und hörte das dumpfe
Murmeln des herannahenden Gewitters. Endlich das
gewaltige Pochen. Elvira, die Mädchen entfliehen, und
unter den entsetzlichen Akkorden der unterirdischen

10. Schon ist das Mahl bereitet.

Geisterwelt tritt der gewaltige Marmorkoloß, gegen
den Don Juan pygmäisch dasteht, ein. Der Boden er-
bebt unter des Riesen donnerndem Fußtritt. – Don
Juan ruft durch den Sturm, durch den Donner, durch
das Geheul der Dämonen sein fürchterliches: „No[11]!"
die Stunde des Untergangs ist da. Die Statue ver-
schwindet, dicker Qualm erfüllt das Zimmer, aus ihm
entwickeln sich fürchterliche Larven. In Qualen der
Hölle windet sich Don Juan, den man dann und
wann unter den Dämonen erblickt. Eine Explosion,
wie wenn tausend Blitze einschlügen –: Don Juan, die
Dämonen, sind verschwunden, man weiß nicht wie!
Leporello liegt ohnmächtig in der Ecke des Zimmers. –
Wie wohltätig wirkt nun die Erscheinung der übrigen
Personen, die den Juan, der von unterirdischen Mächten irdischer Rache entzogen, vergebens suchen. Es ist,
als wäre man nun erst dem furchtbaren Kreise der
höllischen Geister entronnen. – Donna Anna erschien
ganz verändert: eine Totenblässe überzog ihr Gesicht,
das Auge war erloschen, die Stimme zitternd und ungleich, aber eben dadurch in dem kleinen Duett mit
dem süßen Bräutigam, der nun, nachdem ihn der
Himmel des gefährlichen Rächeramts glücklich über-
hoben hat, gleich Hochzeit machen will, von herzzer-
reißender Wirkung.

Der fugierte Chor hatte das Werk herrlich zu einem
Ganzen gerundet, und ich eilte in der exaltiertesten
Stimmung, in der ich mich je befunden, in mein Zimmer. Der Kellner rief mich zur Wirtstafel, und ich
folgte ihm mechanisch. – Die Gesellschaft war der
Messe wegen glänzend und die heutige Darstellung des
Don Juan der Gegenstand des Gesprächs. Man pries
im allgemeinen die Italiener und das Eingreifende
ihres Spiels; doch zeigten kleine Bemerkungen, die
hier und da ganz schalkhaft hingeworfen wurden, daß

11. Nein.

wohl keiner die tiefere Bedeutung der Oper aller
Opern auch nur ahnte. – Don Ottavio hatte sehr gefallen. Donna Anna war einem zu leidenschaftlich
gewesen. Man müsse, meinte er, auf dem Theater sich
hübsch mäßigen und das zu sehr Angreifende vermeiden. Die Erzählung des Überfalls habe ihn ordentlich konsterniert. Hier nahm er eine Prise Tabak und
schaute ganz unbeschreiblich dummklug seinen Nachbar an, welcher behauptete, die Italienerin sei aber
übrigens eine recht schöne Frau, nur zu wenig besorgt
um Kleidung und Putz; eben in jener Szene sei ihr
eine Haarlocke aufgegangen und habe das Demiprofil
des Gesichts beschattet! Jetzt fing ein anderer ganz
leise zu intonieren an: „Fin ch'han dal vino" – worauf
eine Dame bemerkte, am wenigsten sei sie mit dem
Don Juan zufrieden: der Italiener sei viel zu finster,
viel zu ernst gewesen und habe überhaupt den frivo-
len, lustigen Charakter nicht leicht genug genommen. – Die letzte Explosion wurde sehr gerühmt. –
Des Gewäsches satt, eilte ich in mein Zimmer.

In der Fremdenloge Nr. 23

Es war mir so eng, so schwül in dem dumpfen Ge-
mach! – Um Mitternacht glaubte ich deine Stimme
zu hören, mein Theodor! Du sprachst deutlich meinen
Namen aus, und es schien an der Tapetentür zu rauschen. Was hält mich ab, den Ort meines wunderbaren
Abenteuers noch einmal zu betreten? – Vielleicht sehe
ich dich und sie, die mein ganzes Wesen erfüllt! – Wie
leicht ist es, den kleinen Tisch hineinzutragen – zwei
Lichter – Schreibzeug! Der Kellner sucht mich mit dem
bestellten Punsch; er findet das Zimmer leer, die Tapetentür offen: er folgt mir in die Loge und sieht mich
mit zweifelndem Blick an. Auf meinen Wink setzt er
das Getränk auf den Tisch und entfernt sich, mit einer

Frage auf der Zunge noch einmal sich nach mir umschauend. Ich lehne mich, ihm den Rücken wendend, über der Loge Rand und sehe in das verödete Haus, dessen Architektur, von meinen beiden Lichtern magisch beleuchtet, in wunderlichen Reflexen fremd und feenhaft hervorspringt. Den Vorhang bewegt die das Haus durchschneidende Zugluft. – Wie wenn er hinaufwallte? wenn Donna Anna, geängstet von gräßlichen Larven, erschiene? – „Donna Anna!" rufe ich unwillkürlich: der Ruf verhallt in dem öden Raum, aber die Geister der Instrumente im Orchester werden wach – ein wunderbarer Ton zittert herauf; es ist, als säusle in ihm der geliebte Name fort! – Nicht erwehren kann ich mich des heimlichen Schauers, aber wohltätig durchbebt er meine Nerven. –

Ich werde meiner Stimmung Herr und fühle mich aufgelegt, dir, mein Theodor, wenigstens anzudeuten, wie ich jetzt erst das herrliche Werk des göttlichen Meisters in seiner tiefsten Charakteristik richtig aufzufassen glaube. – Nur der Dichter versteht den Dichter; nur ein romantisches Gemüt kann eingehen in das Romantische; nur der poetisch exaltierte Geist, der mitten im Tempel die Weihe empfing, das verstehen, was der Geweihte in der Begeisterung ausspricht. – Betrachtet man das Gedicht (den „Don Juan"), ohne ihm eine tiefere Bedeutung zu geben, so daß man nur das Geschichtliche in Anspruch nimmt, so ist es kaum zu begreifen, wie Mozart eine solche Musik dazu denken und dichten konnte. Ein Bonvivant, der Wein und Mädchen über die Maßen liebt, der mutwilligerweise den steinernen Mann als Repräsentanten des alten Vaters, den er bei Verteidigung seines eigenen Lebens niederstach, zu seiner lustigen Tafel bittet – wahrlich, hierin liegt nicht viel Poetisches, und ehrlich gestanden ist ein solcher Mensch es wohl nicht wert, daß die unterirdischen Mächte ihn als ein ganz besonderes Kabinettsstück der Hölle auszeichnen; daß der steinerne Mann, von dem verklärten Geiste beseelt, sich bemüht, vom Pferde zu steigen, um den Sünder vor dem letzten Stündlein zur Buße zu ermahnen; daß endlich der Teufel seine besten Gesellen ausschickt, um den Transport in sein Reich auf die gräßlichste Weise zu veranstalten. – Du kannst es mir glauben, Theodor, den Juan stattete die Natur, wie ihrer Schoßkinder liebstes, mit alle dem aus, was den Menschen, in näherer Verwandtschaft mit dem Göttlichen, über den gemeinen Troß, über die Fabrikarbeiten, die als Nullen, vor die, wenn sie gelten sollen, sich erst ein Zähler stellen muß, aus der Werkstätte geschleudert werden, erhebt; was ihn bestimmt zu besiegen, zu herrschen. Ein kräftiger, herrlicher Körper, eine Bildung, woraus der Funke hervorstrahlt, der, die Ahnungen des Höchsten entzündend, in die Brust fiel; ein tiefes Gemüt, ein schnell ergreifender Verstand. – Aber das ist die entsetzliche Folge des Sündenfalls, daß der Feind die Macht behielt, dem Menschen aufzulauern und ihm selbst in dem Streben nach dem Höchsten, worin er seine göttliche Natur ausspricht, böse Fallstricke zu legen. Dieser Konflikt der göttlichen und der dämonischen Kräfte erzeugt den Begriff des irdischen, so wie der erfochtene Sieg den Begriff des überirdischen Lebens. – Den Juan begeisterten die Ansprüche auf das Leben, die seine körperliche und geistige Organisation herbeiführte, und ein ewiges brennendes Sehnen, von dem sein Blut siedend die Adern durchfloß, trieb ihn, daß er gierig und ohne Rast alle Erscheinungen der irdischen Welt aufgriff, in ihnen vergebens Befriedigung hoffend! – Es gibt hier auf Erden wohl nichts, was den Menschen in seiner innigsten Natur so hinaufsteigert als die Liebe; sie ist es, die so geheimnisvoll und so gewaltig wirkend, die innersten Elemente des Daseins zerstört und verklärt; was Wunder also, daß Don Juan in der Liebe die Sehnsucht, die seine Brust zerreißt, zu stillen hoffte und daß der Teufel hier ihm die Schlinge über den Hals warf? In Don Juans Gemüt kam durch des Erbfeindes List der Gedanke, daß durch die Liebe, durch den Genuß des Weibes schon auf Erden das erfüllt werden könne, was bloß als himmlische Verheißung in unserer Brust wohnt und eben jene unendliche Sehnsucht ist, die uns mit dem Überirdischen in unmittelbaren Rapport setzt. Vom schönen Weibe zum schönern rastlos fliehend; bis zum Überdruß, bis zur zerstörenden Trunkenheit ihrer Reize mit der glühendsten Inbrunst genießend; immer in der Wahl sich betrogen glaubend, immer hoffend, das Ideal endlicher Befriedigung zu finden, mußte doch Juan zuletzt alles irdische Leben matt und flach finden, und indem er überhaupt den Menschen verachtete, lehnte er sich auf gegen die Erscheinung, die, ihm als das Höchste im Leben geltend, so bitter ihn getäuscht hatte. Jeder Genuß des Weibes war nun nicht mehr Befriedigung seiner Sinnlichkeit, sondern frevelnder Hohn gegen die Natur und den Schöpfer. Tiefe Verachtung der gemeinen Ansichten des Lebens, über die er sich erhoben fühlte, und bitterer Spott über Menschen, die in der glücklichen Liebe, in der dadurch herbeigeführten bürgerlichen Vereinigung auch nur im mindesten die Erfüllung der höheren Wünsche, die die Natur feindselig in unsere Brust legte, erwarten konnten, trieben ihn an, *da* vorzüglich sich aufzulehnen und, Verderben bereitend, dem unbekannten, schicksallenkenden Wesen, das ihm wie ein schadenfrohes, mit den kläglichen Geschöpfen seiner spottenden Laune ein grausames Spiel treibendes Ungeheuer erschien, kühn entgegenzutreten, wo von einem solchen Verhältnis die Rede war. – Jede Verführung einer geliebten Braut, jedes durch einen gewaltigen, nie zu verschmerzendes Unheil bringenden Schlag gestörte Glück der Liebenden ist ein herrlicher Triumph über jene feindliche Macht, der ihn immermehr hinaushebt aus dem beengenden Leben – über die Natur – über den Schöpfer! – Er will auch wirklich immer mehr aus dem Leben, aber nur, um hinabzustürzen in den Orkus. Annas Verführung mit den dabei eingetretenen Umständen ist die höchste Spitze, zu der er sich erhebt. –

Donna Anna ist rücksichtlich der höchsten Begünstigungen der Natur dem Don Juan entgegengestellt. So wie Don Juan ursprünglich ein wunderbar kräftiger, herrlicher Mann war, so ist sie ein göttliches Weib, über deren reines Gemüt der Teufel nichts vermochte. Alle Kunst der Hölle konnte nur sie irdisch verderben. – Sowie der Satan dieses Verderben vollendet hat, durfte auch nach der Fügung des Himmels die Hölle die Vollstreckung des Rächeramts nicht länger verschieben. – Don Juan ladet den erstochenen Alten höhnend im Bilde ein zum lustigen Gastmahl, und der verklärte Geist, nun erst den gefallnen Menschen durchschauend und sich um ihn betrübend, verschmäht es nicht, in furchtbarer Gestalt ihn zur Buße zu ermahnen. Aber so verderbt, so zerrissen ist sein Gemüt, daß auch des Himmels Seligkeit keinen Strahl der Hoffnung in seine Seele wirft und ihn zum bessern Sein entzündet! –

Gewiß ist es dir, mein Theodor, aufgefallen, daß ich von Annas Verführung gesprochen; und so gut ich es in dieser Stunde, wo tief aus dem Gemüt hervorgehende Gedanken und Ideen die Worte überflügeln, vermag, sage ich dir mit wenigen Worten, wie mir in der Musik, ohne alle Rücksicht auf den Text, das ganze Verhältnis der beiden im Kampf begriffenen Naturen (Don Juan und Donna Anna) erscheint. – Schon oben äußerte ich, daß Anna dem Juan gegenübergestellt ist. Wie, wenn Donna Anna vom Himmel dazu bestimmt gewesen wäre, den Juan in der Liebe, die ihn durch des Satans Künste verdarb, die ihm inwohnende göttliche Natur erkennen zu lassen und ihn der Verzweiflung seines nichtigen Strebens zu entreißen? – Zu spät, zur Zeit des höchsten Frevels, sah er sie, und da konnte ihn nur die teuflische Lust erfüllen, sie zu verderben. – Nicht gerettet wurde sie! Als er hinausfloh, war die Tat geschehen. Das Feuer einer übermenschlichen Sinnlichkeit, Glut aus der Hölle, durchströmte ihr Innerstes und machte jeden Widerstand vergeblich. Nur *er*, nur Don Juan konnte den wollüstigen Wahnsinn in ihr entzünden, mit dem sie ihn umfing, der mit der übermächtigen, zerstörenden Wut höllischer Geister im Innern sündigte. Als er nach vollendeter Tat entfliehen wollte, da umschlang wie ein gräßliches, giftiges Tod sprühendes Ungeheuer sie der Gedanke ihres Verderbens mit folternden Qualen. – Ihres Vaters Fall durch Don Juans Hand, die Verbindung mit dem kalten, unmännlichen, ordinären Don Ottavio, den sie einst zu lieben glaubte – selbst die im Innersten ihres Gemüts in verzehrender Flamme wütende Liebe, die in dem Augenblick des höchsten Genusses aufloderte und nun gleich der Glut des vernichtenden Hasses brennt: alles dieses zerreißt ihre Brust. Sie fühlt, nur Don Juans Untergang kann der von tödlichen Martern beängsteten Seele Ruhe verschaffen; aber diese Ruhe ist ihr eigner irdischer Untergang. – Sie fodert daher unablässig ihren eiskalten Bräutigam zur Rache auf, sie verfolgt selbst den Verräter, und erst als ihn die unterirdischen Mächte in den Orkus hinabgezogen haben, wird sie ruhiger – nur vermag sie nicht dem hochzeitlustigen Bräutigam nachzugeben: „lascia, o caro, un anno ancora, allo sfogo del mio cor[12]!" Sie wird dieses Jahr nicht überstehen; Don Ottavio wird niemals *die* umarmen, die ein frommes Gemüt davon rettete, des Satans geweihte Braut zu bleiben.

Wie lebhaft im Innersten meiner Seele fühlte ich

12. Laß, o Teurer, mir noch ein Jahr zur Beruhigung meines Herzens

alles dieses in den die Brust zerreißenden Akkorden des ersten Rezitativs und der Erzählung von dem nächtlichen Überfall! – Selbst die Szene der Donna Anna im zweiten Akt: „Crudele[13]", die, oberflächlich betrachtet, sich nur auf den Don Ottavio bezieht, spricht in geheimen Anklängen, in den wunderbarsten Beziehungen jene innere, alles irdische Glück verzehrende Stimmung der Seele aus. Was soll selbst in den Worten der sonderbare, von dem Dichter vielleicht unbewußt hingeworfene Zusatz:

„forse un giorno il cielo ancora sentirà pietà di me[14]!" –

Es schlägt zwei Uhr! – Ein warmer elektrischer Hauch gleitet über mich her – ich empfinde den leisen Geruch feinen italienischen Parfüms, der gestern zuerst mir die Nachbarin vermuten ließ; mich umfängt ein seliges Gefühl, das ich nur in Tönen aussprechen zu können glaube. Die Luft streicht heftiger durch das Haus – die Saiten des Flügels im Orchester rauschen – Himmel! wie aus weiter Ferne, auf den Fittichen schwellender Töne eines luftigen Orchesters getragen, glaube ich Annas Stimme zu hören: „Non mi dir bell' idol mio[15]!" – Schließe dich auf, du fernes, unbekanntes Geisterreich – du Dschinnistan voller Herrlichkeit, wo ein unaussprechlicher, himmlischer Schmerz wie die unsäglichste Freude der entzückten Seele alles auf Erden Verheißene über alle Maßen erfüllt! Laß mich eintreten in den Kreis deiner holdseligen Erscheinungen! Mag der Traum, den du bald zum Grausen erregenden, bald zum freundlichen Boten an den irdischen Menschen erkoren – mag er meinen Geist, wenn der Schlaf den Körper in bleiernen Banden festhält, den ätherischen Gefilden zuführen! –

13. Grausamer.
14. Vielleicht wird einmal noch der Himmel Mitleid mit mir fühlen.
15. Sag mir nicht, geliebtes Leben.

Kluger Mann mit der Dose, stark auf den Deckel derselben schnippend: Es ist doch fatal, daß wir nun so bald keine ordentliche Oper mehr hören werden! aber das kommt von dem häßlichen Übertreiben!

Mulattengesicht: Ja, ja! hab's ihr oft genug gesagt! Die Rolle der Donna Anna griff sie immer ordentlich an! – Gestern war sie vollends gar wie besessen. Den ganzen Zwischenakt hindurch soll sie in Ohnmacht gelegen haben, und in der Szene im zweiten Akt hatte sie gar Nervenzufälle –

Unbedeutender: O sagen Sie –!

Mulattengesicht: Nun ja! Nervenzufälle, und war doch wahrlich nicht vom Theater zu bringen.

Ich: Um des Himmels willen – die Zufälle sind doch nicht von Bedeutung? wir hören doch Signora bald wieder?

Kluger Mann mit der Dose, eine Prise nehmend: Schwerlich, denn Signora ist heute morgens Punkt zwei Uhr gestorben.

NACHWORT

In diesem Band sind drei der bekanntesten Novellen
E. T. A. Hoffmanns vereinigt. Sie sind nicht nur in relativ kurzen Abständen entstanden – *Don Juan* 1812, *Die
Fermate* 1815, *Rat Krespel* 1816 –, alle drei entfalten sich
aus dem gleichen Motivkreis, der den Dichter – selbst
Komponist, Dirigent, Theoretiker – besonders anziehen
mußte: aus der Musik. Konzipiert und niedergeschrieben
wurden sie auf dem Höhepunkt von Hoffmanns dichteri-
scher Tätigkeit: nachdem er sein Amt als Musikdirektor in
Bamberg aufgegeben hatte, um zunächst in Dresden, dann
in Leipzig eine ähnliche Stellung anzunehmen und von da
1814 nach Berlin überzusiedeln. Die erste Novelle *Don
Juan* ließ Hoffmann als Erzählwerk isoliert bestehen, während er die beiden anderen später in den Zyklus der
Serapionsbrüder aufnahm.

Bei der ersten Lektüre scheinen die drei Novellen trotz
aller motivischen Übereinstimmung verschieden im For-
malen und verschieden in der Gestimmtheit. Von dem
relativ gelassen-überlegenen Erzählstil der *Fermate* hebt
sich die in äußerster Erregtheit dargebotene „Don Juan"-
Novelle ebenso ab, wie der Humor der erstgenannten
Novelle deutlich genug mit der tragischen Grundstimmung
der beiden anderen kontrastiert. Gibt es trotzdem eine
Möglichkeit, die drei Erzählwerke im Zusammenhang einer
einzigen dichterischen Grunderfahrung zu deuten? Sind
Motivzusammenhang und Thematik tragfähig genug, um
das Recht zu sichern, die drei Novellen über alle Unter-
schiede hinaus doch als zusammengehörig zu begreifen?

Um die Entstehung der *Fermate* zu verstehen, hat man
manches aus dem Leben des Dichters herangezogen: Königs-
berger Theatererlebnisse, Gestalten aus dem biographischen
Umkreis des Dichters, das eingangs der Novelle erwähnte

Bild von Hummel, das der Dichter anläßlich einer Ausstellung in Berlin 1814 kennenzulernen Gelegenheit hatte. Hinweise dieser Art genügen indessen nicht, um das Werk zu erschließen. Will man die Künstlernovellen E. T. A. Hoffmanns im ganzen und zugleich damit die Faszination, die besonders die Thematik der Musik zeit seines Lebens auf ihn ausgeübt hat, verstehen, dann reicht es auch nicht aus, auf E. T. A. Hoffmann als ausübenden Musiker – den Komponisten der *Undine* und den leidenschaftlichen Dirigenten – zu verweisen. Das Interesse an der Musik und ihre Anziehung, der Hoffmann während seines ganzen Lebens erlegen ist, greift über seine Person hinaus. Was in den musikalischen Novellen dargeboten wird, läßt sich deshalb nicht nur auf das Persönlich-Biographische einengen, sondern muß – bei allem unverkennbar Eigenen und dem unverwechselbar Persönlichen dieser Erzählwerke – von einem weiteren Bedeutungskreis her verstanden werden: E. T. A. Hoffmann ist vor allem auf dem Hintergrund der romantischen Bewegung zu sehen. Nur in diesem Zusammenhang ist besonders die erregende Wirkung zu verstehen, die der Bereich der Kunst und vor allem der Musik auf den Dichter ausgeübt hat. Man kann diese Verwurzelung Hoffmanns in der romantischen Bewegung exakt belegen. Was uns in den musikalischen Novellen des Dichters begegnet, ist in den Grundlinien der thematischen Entfaltung und des Erzählstils vor ihm festgelegt und vorgezeichnet worden. Die Novellen Hoffmanns lassen sich literarhistorisch nicht angemessen deuten, wenn man nicht die Berglinger-Novelle aus dem zweiten Teil von Wackenroders *Herzensergießungen eines kunstliebenden Klosterbruders* kennt. Was ist das Gemeinsame?

Angesichts von Runges *Tageszeiten* hat der alte Goethe jäh begriffen, was an Größe und Verhängnis in der romantischen Bewegung beschlossen war: „Freilich, . . . das will alles umfassen und verliert sich immer ins Elementarische, doch noch mit unendlichen Schönheiten im einzelnen." Kein Wort, das je über die Romantik gesagt wurde, ist zutreffender; keines hat vor allem eindeutiger auf die Hingerissenheit verwiesen, die in allen ihren Äußerungen in irgendeiner Weise am Werk ist; ob in den chiliastischen Spekulationen des jungen Friedrich Schlegel oder in der magisch-synthetischen Leidenschaft des Novalis, ob in den Balladen Brentanos oder in Tiecks *Phantasus*. Mag Wackenroder in der Generation der Frühromantik ein Außenseiter sein, eines verbindet ihn selbst mit einem ihm so fremden Geist wie Friedrich Schlegel: eben diese Hingerissenheit. Sie ist schon zu erkennen, wenn er die religiöse Inspiration im Schaffen Raffaels deutet. Noch ungleich stärker aber kommt sie zum Ausdruck in der Lebensgeschichte Joseph Berglingers und in der Art und Weise, wie ihm beim Besuch der bischöflichen Residenz Kunst und Musik zum Schicksal werden. Von dem Helden Wackenroders zum reisenden Enthusiasten E. T. A. Hoffmanns führt eine gerade Linie. Was Goethe als Charakteristikum der romantischen Generation überhaupt bezeichnet, verbindet die beiden Dichter über die Kluft der Generationen hinaus: der Zauber des Elementaren und zugleich die Wehrlosigkeit diesem Zauber gegenüber.

Noch eine andere Erfahrung ist E. T. A. Hoffmann und Wackenroder gemeinsam und läßt uns beide in einen Zusammenhang bringen; auch sie kommt in den Worten Goethes über Runge ins Wort: „Da sehen Sie nur, was für Teufelszeug, und hier wieder, was da der Kerl für Anmut und Herrlichkeit hervorgebracht, aber der arme Teufel hat's auch nicht ausgehalten, er ist schon hin, es ist nicht anders möglich, wer so auf der Klippe steht, muß sterben oder verrückt werden, da ist keine Gnade." Mit diesen Worten wird die tödliche Gefahr berührt, die in jenem ungeduldigen Vorstoß über alle Konturen und Grenzen des Endlichen hinaus beschlossen ist. Wer so wie Berglinger, der Baron von B. und andere Gestalten Hoffmanns es unternimmt, in dem Enthusiasmus der Musik die Endlichkeit hinter sich zu lassen, dem bleibt die Stunde nicht erspart, da er, aus der Trunkenheit jäh erwachend, dieser Endlichkeit aufs neue begegnet, einer Endlichkeit, die nun in demselben Maße ins Chaotisch-Unerlöste verzerrt ist, wie sie zuvor im Rausche der Kunst erlöst und überwunden zu sein schien. So erlebt Berglinger diese Unerlöstheit immer wieder; in dem ganzen Ausmaß der Trostlosigkeit vor allem am Sterbebett des Vaters. Und den Gestalten E. T. A. Hoffmanns bleibt eine gleiche Begegnung nicht erspart. Mit beiden Hinweisen aber ist der Zugang zu E. T. A. Hoffmann noch nicht erschlossen, und es empfiehlt sich, an dieser Stelle die allgemeinen Überlegungen abzubrechen und statt dessen zu fragen, wie sich in den Novellen Hoffmanns die doppelte Erfahrung der schöpferischen Euphorie und des Grauens der Enttäuschung darstellt.

Es ist oft darauf hingewiesen worden, in wie eigentümlicher Weise E. T. A. Hoffmann in seiner Novelle *Don Juan* das Libretto da Pontes und wohl auch die Musik Mozarts umzudeuten die Neigung hatte. Und zwar deutlich genug in jenem Sinne, den Goethe mit dem vieldeutigen Begriff des Elementarischen angerührt hat. Diese Umdeutung betrifft vor allem die Hauptgestalten der Mozartschen Oper: Donna Anna und Don Juan, mittelbar auch den Don Octavio. Man kann ihr wohl am ehesten gerecht werden, wenn man darauf aufmerksam macht, daß die ursprünglich ethische Konzeption der Gestalten – ethisch im Sinne einer religiös und gesellschaftlich gebundenen Sittlichkeit – ins tragisch Übermenschliche hinübergespielt wird: „In Don Juans Gemüt kam . . . der Gedanke, daß durch die Liebe, durch den Genuß des Weibes, schon auf Erden das erfüllt werden könne, was bloß als himmlische Verheißung in unserer Brust wohnt und eben jene unendliche Sehnsucht ist, die uns mit dem Überirdischen in unmittelbaren Rapport setzt . . .“ So etwa heißt es in dieser Umdeutung der Titelgestalt. In entsprechender Weise wird Donna Anna als Partnerin des Don Juan von aller gesetzlichen Gebundenheit gelöst und ins tragisch Absolute entrückt. „Donna Anna ist, rücksichtlich der höchsten Begünstigung der Natur, dem Don Juan entgegengestellt . . . Wie, wenn Donna Anna vom Himmel dazu bestimmt gewesen wäre, den Juan in der Liebe . . . die ihm innewohnende göttliche Natur erkennen zu lassen und ihn der Verzweiflung seines nichtigen Strebens zu entreißen?"

Indem aber Gestalten und Musik der Mozartschen Oper auf diese Weise in die Sphäre des tragisch Unbedingten gesteigert werden, geht von ihnen eine Faszination aus, der sich keiner, der dafür empfänglich, entziehen kann. Kaum daß die ersten Akkorde der Ouvertüre erklungen sind, geschieht es, daß ein Bannkreis alle einschließt, die sich der Dämonie der Musik geöffnet haben. Zwei sind es, die vor allem dem Zauber der Verwandlung erliegen: die Darstellerin der Donna Anna und der reisende Enthusiast. An dieser Stelle tritt jene romantische Hingerissenheit ein, von der eingangs die Rede war, und im übrigen nicht nur die Verwandlung ins tragisch Große, sondern auch eine Verwandlung solcher Art, daß zwischen denen, die für diese Faszination anfällig sind, eine Verständigung über alle Fremdheit hinaus möglich ist. In einer Art von „Somnambulismus" – dem romantischen Begriff für diese Art des Bezugs und der Verständigung – geschieht es, daß die Verzauberten sich anziehen, sich erkennen und fast willenlos zusammenfinden.

Aber nicht nur das Moment der letzten Erfüllung ist in der Novelle da, sondern auch der jähe Umschlag ins Grauen der Enttäuschung und der Unerlöstheit. Beide Gestalten, die Darstellerin der Donna Anna und der Enthusiast, erleben ihn. Für die Sängerin mündet die Stunde des höchsten Glückes unversehens in den Schrecken des Todes, der Enthusiast muß aus der Verzauberung der Kunst in das Grau einer geistverlassenen Alltäglichkeit hinaustreten; so vor allem, wenn er am Ende der Novelle an jene grausige Tafelrunde gerät, da man in philiströser Selbstgefälligkeit vom Tode der Sängerin spricht.

Daß in der deutschen Romantik die Daseinsform des

Grotesken von neuem Bedeutung gewonnen hat, ist uns vertraut. Wenn das Wesen des Grotesken mit Recht als Aufstand des Fratzenhaft-Gestaltlosen gegen die Welt der Form definiert wurde, versteht man leicht, daß gerade diese Gestaltungsmöglichkeit für Hoffmann von höchster Aktualität wurde. Die Verzerrung des Grotesken gibt dem Ausdruck, was im Endlichen übrigbleibt, wenn sich der Geist, alle Grenzen ekstatisch negierend, der Verantwortung eben dieser Endlichkeit gegenüber entzogen hat. In diesem Sinn besteht zwischen der Bezauberung des Anfangs und jenen geistlos-grotesken Figuren der Tafelrunde am Ende der Novelle, zwischen dem Enthusiasmus des Künstlertums und dem Zynismus des Philisters, trotz der harten Gegensätzlichkeit und Exklusivität doch eine geheime Beziehung: so wie immer der romantische Rausch und der romantische Pessimismus sich gegenseitig bedingen.

Um die zweite Novelle, den *Rat Krespel,* zu verstehen, kann man unmittelbar an den *Don Juan* anknüpfen. Drei Figuren bilden den innersten Kreis des Werkes: Angela und Antonia und die Titelfigur der Novelle, der Rat Krespel. Wiederum gründet alle Bewegung in dem Umstand, daß sich Geist und Leben, Kunst und Wirklichkeit nicht durchdringen, vielmehr auch hier unversöhnt und unversöhnbar gegenüberstehen. So leiten die Kunst und die Musik – nicht anders als im *Don Juan* – hinüber in eine Vollendung so ekstatisch überschwenglicher Art, daß keine Wirklichkeit dieser Vollendung mehr gewachsen ist und diese, allen schöpferischen Möglichkeiten entfremdet, sich mit einer fast gnostischen Notwendigkeit ins geistlos Destruktive entformen muß.

Krespel, vom Eros zum Schönen und zur letzten Erfüllung wahrhaft besessen und hingerissen wie nur eine Gestalt des Dichters, lernt die Sängerin Angela kennen und gerät zugleich mit der Möglichkeit der Erfüllung an die feindlich-dunkle Kehrseite. So vollendet Angelas Schönheit ist; so unvergleichlich ihr Gesang, ebenso unbe-

rührt von all dem ist ihre wirkliche Existenz. Eitel, ichbe-
sessen, launisch bis zur Bösartigkeit, macht sie Krespel das
Leben zur Hölle; so, daß es bald zur Trennung kommt.
Hielt sich der Widerspruch in Angelas Existenz noch im
Umkreis des Komischen, so verschärft er sich in Antonias
Dasein ebenso ins Tragische wie bei der Darstellerin der
Donna Anna.

Zunächst scheint es, daß Antoniens Existenz vom Verhängnis ausgenommen ist: „Alle Liebenswürdigkeit, alle
Anmut Angelas wurden Antonien zuteil, der aber die
häßliche Kehrseite ganz fehlte." Alles Widrige scheint
sich nun zu lösen: die Schönheit von Antoniens Gesang
ist noch vollendeter als bei der Mutter. Hatte diese ihrer
Umgebung das Leben zur Hölle gemacht, so ist Antonie
in ihrer Liebesverbundenheit mit dem jungen Komponisten
glücklich. Bis dann auch in ihrem Dasein der Konflikt auf-
bricht. Auch sie – und mit ihr noch einmal der Vater –
muß erleben, daß mit der Erfüllung im Hier und Jetzt
unvermeidbar die dunkle Gegenmacht gegenwärtig ist; nur
daß sich diese nicht mehr in der Form charakterlicher
Mängel darbietet, sondern in der Form organischer
Schwäche und Gefährdung. Nur dank der Krankheit, so
belehrt der Rat Krespel den Besucher, hat Antoniens
Stimme „den seltsamen . . . über die Sphäre des menschlichen Gesanges hinaustönenden Klang" besessen; wiederum eine Erhöhung, die in dem Maße, wie sie Antoniens
Existenz ins Außerordentliche verweist, den Tod als dunklen Gast herbeizwingt. Krankheit als Basis der schöpferischen Begabung! Von Novalis spielend spekulativ erwogen,
hat E. T. A. Hoffmann im *Rat Krespel* diesen Gedanken
und diese Möglichkeit zum erstenmal gestaltet und so
über Generationen hinweg vorweggenommen, was Thomas
Mann dann von den *Buddenbrooks* über den *Tod in Venedig* bis zum *Dr. Faustus* zur Grundlage seines Schaffens
machen sollte.

Wie im *Don Juan* so auch in dieser zweiten Novelle
wird die Gestaltungsform des Grotesken bedeutsam, und

zwar im Zusammenhang mit der dritten Gestalt, dem Rat Krespel. Wiederum nämlich ist die Verzerrung des Grotesken die tief enttäuschte und leidvolle Antwort auf die Unmöglichkeit, die Entfremdung von Geist und Wirklichkeit überwinden zu können. „Den bitteren Hohn, wie der in das irdische Tun und Treiben eingeschachtelte Geist ihn wohl oft bei der Hand hat, führt Krespel aus in tollen Gebärden und geschickten Hasensprüngen", so charakterisiert man in der Novelle treffend den Rat.

Man kann Krespel von der ästhetischen Kategorie des Grotesken her zu verstehen suchen; man kann aber auch darauf hinweisen, daß in ihm – fast gleichzeitig mit Jean Pauls *Katzenberger* – die Figur des Kauzes oder des Sonderlings gestaltet wurde, und zwar des Sonderlings als einer Gegenfigur zu dem, was man mit der Vorstellung der klassischen Persönlichkeit zu verbinden gewohnt ist. Geschieht es, daß sich in ihr Form und Wirklichkeit, der Geist und die Sphäre des Leibes, durchdringen, so existiert der Sonderling, der von der Spätromantik bis zu Wilhelm Raabe immer stärker die Geltung der klassischen Persönlichkeit ablöst, im Widerspruch zu dem Anspruch der Form; auch in diesem Fall in der schmerzlichen Erfahrung des unversöhnbaren Widerspruchs und der Entfremdung so, daß die Darstellungsform des Grotesken und die Figur des Kauzes aufeinander bezogen und aus derselben Welterfahrung herausgewachsen sind. Im *Rat Krespel* wie im *Don Juan* begegnet ein Gleiches: je stärker der Mensch der Versuchung einer die Endlichkeit transzendierenden Erfüllung nachgibt, um so unausweichlicher erlebt und erleidet er diese Endlichkeit, aber in demselben Maße unerlöst, wie er sie zuvor in seiner Erwartung überboten hatte.

Wie schon eingangs erwähnt, ist die dritte Novelle die gelösteste in der Reihe der in diesem Band vereinigten Prosastücke. Trotzdem muß auch sie von den Voraussetzungen her begriffen werden, die bisher entwickelt wurden. Auch in ihr gibt es die Bewegung bis zu jenem Punkt hin, da sich die Sphären scheiden. Um die Novelle *Die Fermate* zu verstehen, empfiehlt es sich, an die Angela-Gestalt des *Rat Krespel* anzuknüpfen. Sie ist in den beiden italienischen Sängerinnen, Lauretta und Teresina, mit vielen Einzelheiten vorgezeichnet. Aber auch die entscheidenden Ereignisse entsprechen sich in beiden Novellen. So sieht der Erzähler – darin dem Rat Krespel vergleichbar – durch die Begegnung mit den beiden Sängerinnen ebenso den schöpferischen Funken in sich geweckt, wie er bei derselben Gelegenheit jenen Widerspruch von Vollendung und Endlichkeit erlebt, von dem alle Novellen Hoffmanns in irgendeiner Weise handeln. Der entscheidende Wendepunkt in der Handlung ist die Stelle, da Theodor erfahren muß, daß die Gunst, deren er sich bei den Schwestern zu erfreuen meinte, nur ein kaltes, berechnendes Spiel war. Und wenn er sie nach Jahren wiedertrifft, ist nichts anders géworden. Immer noch erscheinen die beiden egoistisch, launisch, menschlich ungeformt wie zuvor; nur hat Theodor inzwischen die Reife erworben, die ihn vor einer zweiten Erschütterung bewahrt.

Indessen auch da, wo er im Anschluß an die Besichtigung des Hummelschen Bildes dem Freund von den vergangenen Ereignissen berichtet, vermag er immer noch nicht zu begreifen, daß die Kunst und die menschliche Wirklichkeit in einem so unversöhnten Widerspruch stehen, wie er es bei Lauretta und Teresina erlebt hatte. Flüchtig gesehen, scheint die Novelle versöhnlich auszugehen. Jedoch führt, was bei dem letzten Bekenntnis Theodors in dem Gespräch mit dem Freund anklingt, genau erwogen, keinen Schritt über den Widerspruch hinaus. „Jeder Komponist erinnert sich wohl eines mächtigen Eindrucks, den die Zeit nicht vernichtet . . . Gewiß ist es, daß, so angeregt, alle Melodien . . . uns nur der Sängerin zu gehören scheinen, die den ersten Funken in uns warf. Wir hören sie und schreiben es nur auf, was sie gesungen. Es ist aber das Erbteil von uns Schwachen, daß wir, an der Erdscholle klebend, so gern das Überirdische hinabziehen wollen in die irdische ärmliche Beengtheit. So wird die Sängerin unsere Geliebte – wohl gar unsere Frau! – Der Zauber ist vernichtet, und die innere Melodie, sonst Herrliches verkündend, wird zur Klage über eine zerbrochene Suppenschüssel . . ."

Die Grundlage der bürgerlichen Kunst in allen Spielarten war der Glaube an die Harmonie dessen, was im Menschen und in der Welt an Gegensätzen und Spannungen angelegt ist, gleichgültig ob sich diese Harmonie in der fortschrittlichen Form der rationalen oder in der mehr konservativen Form der organischen Identität darbot. Die geistesgeschichtliche Bedeutung E. T. A. Hoffmanns besteht darin, daß in seiner Dichtung zum erstenmal dieser Glaube ins Wanken geriet und am Ende zerstört wurde. Von diesen Voraussetzungen her müssen auch die in diesem Band vereinigten Novellen verstanden werden, im Gehalt und in der Form.

Josef Kunz

Ludwig Tieck

IN RECLAMS UNIVERSAL-BIBLIOTHEK

Die beiden merkwürdigsten Tage aus Siegmunds Leben. Fermer, der Geniale. Erzählungen. Herausgegeben von Wolfgang Biesterfeld. 7822

Der blonde Eckbert. Der Runenberg. Die Elfen. Märchen. Nachwort von Konrad Nussbächer. 7732

Franz Sternbalds Wanderungen. Roman. Studienausgabe (mit 16 Bildtafeln). Herausgegeben von Alfred Anger. 8715 [5]

Der gestiefelte Kater. Herausgegeben von Helmut Kreuzer. 8916

Des Lebens Überfluß. Novelle. Nachwort von Konrad Nussbächer. 1925.

Liebesgeschichte der schönen Magelone und des Grafen Peter von Provence. Mit einem Nachwort von Edward Mornin. 731

Merkwürdige Lebensgeschichte Sr. Majestät Abraham Tonelli. Herausgegeben von Ernst Ribbat. 9748

Vittoria Accorombona. Ein Roman in fünf Büchern. Herausgegeben von W. J. Lillyman. 9458 [6]

Philipp Reclam jun. Stuttgart

E. T. A. Hoffmann

IN RECLAMS UNIVERSAL-BIBLIOTHEK

Philipp Reclam jun. Stuttgart